Hellmuth Karasek

Deutschland deine Dichter

Die Federhalter der Nation

Zeichnungen von Ernst M. Lang

Hoffmann und Campe

1. bis 7. Tausend 1970
© 1970 Hoffmann und Campe Verlag, Hamburg
ISBN 3 455 03705 4. Printed in Germany

Was ist das - ein Dichter?

Dichter kommen vorwiegend tot vor. Fragt man beispielsweise einen Zeitgenossen, ob Grass, Böll oder Handke Dichter seien, so wird er unter Umständen bedächtig und bedenklich den Kopf wiegen. Die Autoren, selbst gefragt, täten ähnliches auch.
Der gleiche Zeitgenosse, der nicht so sicher wüßte, ob denn nun Handke oder Grass oder Böll Dichter seien, wäre im Falle Homers ganz sicher. Obwohl es doch vielleicht zwei oder drei Leute gab, die man heute zu dem einen Dichter Homer zusammenfaßt. Auch im Falle Shakespeares wäre die Antwort zustimmend, positiv. Obwohl es doch vielleicht Marlowe war, der gar nicht totgestochen wurde, sondern der vielmehr Shakespeare totstechen ließ, um unter dessen Namen der Dichter des Hamlet

zu werden. (So eine besonders abstruse »Shakespeare nicht von Shakespeare«-Theorie.)

Bei lebenden Dichtern ist das, wie gesagt, schon schwieriger. Der Mann, der in den »Bayerischen Hof« oder ins »Lamm« eilt, dort seine Koffer abstellt, nach dem Anmeldeformular greift und - ohne zu zögern - unter der Rubrik »Beruf« in schwungvollem Sütterlin »Dichter« hinschreibt, ist jedenfalls schwer vorstellbar. Auch in der ach so beliebten Fernsehserie »Was bin ich?«, wo Robert Lembke (übrigens auch kein Dichter) Sparschweinchen mit Fünfmarkstücken anfüllt, während seine auf ewig ungeteilte Quizmannschaft heiter Berufe rät, kamen zwar so seltsame Berufe vor wie der des Mannes, der Schweinemilch an mutterlose Ferkel vermittelt, falls diese allzu plötzlich verwaist sind - aber ein Dichter, der eine für seinen Beruf typische Handbewegung (zum Beispiel: das Kauen am Kuli) ausführt, nein, der ist selbst da nicht vorstellbar.

Das Finanzamt kennt nur Schriftsteller, und es kennt die Mehrwertsteuer für dieselben. Und so lebt man, einem berühmten on dit zufolge, zwar immer noch im Land der Dichter und Denker, was Karl Kraus zu dem bösen Echo vom Land der »Richter und Henker« inspirierte, die Dichter selbst und an sich jedoch sind schwer aufzutreiben. Jedenfalls unter dieser Berufsbezeichnung. Wie es ja auch immer weniger Leute gibt, die sich schlicht und ergreifend »Denker« nennen. Nein, das heißt dann schon Ordinarius für Geschichte der Neueren Philosophie an der Ruhruniversität Bochum.

Aber wenn es schon kaum Dichter gibt, im Unterschied zu früher, wo es offenbar so viele gegeben haben muß, daß man sie auch noch hierarchisch gliedern konnte und mußte, bis hinauf zu dem »Dichterfürsten«, den man heute noch mancherorts in Gips oder in Marmor gehauen betrachten kann. Da steht er - meist mit Sandalen an den Füßen, sein Haupt schmückt eine merkwürdige Kopfbedeckung, Lorbeerkranz

genannt, die ganz aus der Mode gekommen ist, seine Schultern umwallt ein weiter Umhang, wenn es also schon kaum noch einzelne Dichter gibt: der Beruf muß noch vorhanden sein.
Wie sonst könnte das existieren, was man die

Dichterlesung

nennt?
Die Dichterlesung findet in Deutschland meist in geschlossenen Räumen geschlossener Ortschaften statt. Eine Buchhandlung Wendelich am Ort gibt auf Plakaten stolz bekannt, daß es ihr gelungen ist, den bekannten XY zu einer Lesung aus seinem Lyrikband »Lauter lose Blätter« oder besser: aus seinem Dokumentationsband »Akzelerationen« zu gewinnen. Am angekündigten Abend strömt es in den großen Saal der Volkshochschule, in den Festsaal der Paul-Werkle-Halle. Viel Pensioniertes drängt sich in den ersten Reihen zusammen. Hinten sitzen zuweilen auch ein paar entschlossen dreinblickende junge Männer, die vielleicht ein Transparent bei sich haben, auf dem zu lesen steht: »Wir fordern Diskussion!«, auf jeden Fall aber eine Resolution mit sich führen, in der sie den zur Dichterlesung Geladenen später auffordern werden, seine Alibifunktion zugunsten einer aktiven Mitarbeit aufzugeben, um nicht mehr durch die Verschleierung einer Dichterlesung zu der Perpetuierung des Systems beizutragen.
Auch Kulturhonoratioren sind gekommen. Und der verkannte Dichter des Orts, der immer nur zu Weihnachten die hübschen Feuilletons schreiben darf, sitzt mit möglichst gelockerten Zügen da: nur nichts

anmerken lassen. Junge Mädchen haben Taschenbuchausgaben des Autors mitgebracht: da wird er dann, mit ein wenig verlegenen Routinebemerkungen, seinen Namenszug, den Ort und das Datum einsetzen. Vielleicht noch, wenn das Mädchen besonders hübsch oder besonders erbarmungswürdig unhübsch ist, ein »herzlichst« dazu.

Dann kommt der Autor, der jetzt, kraft der Dichterlesung, wirklich zum »Dichter« transsubstanziiert ist. Seine ganzes Auftreten scheint sanft dem trotzen zu wollen, was da kommen soll. Er wirkt, als werde er jetzt im Augenblick zum erstenmal einem schnöden Werbemechanismus ausgesetzt, als habe er anstelle von Haut und Anzug nur Abwehr und Empfindlichkeit. Und das Manuskript trägt er so vor sich her, als wäre es eine Mischung aus Gesangbuch und Schild. Während er einige Vorbemerkungen macht, flüstern sich die Leute einiges zu.

Die Kenner und Routiniers: »Er ist aber dicker geworden!« »Und selbstsicherer!« »Kein Wunder, nach dem letzten Erfolg!«

Die Naiveren: »Er sieht genau aus wie im Fernsehen!« »Und so menschlich bescheiden!«

Der anwesende Redakteur der Heimatzeitung macht mit seinem Leuchtkugelschreiber die ersten fliegenden Notizen. Zwar ist der Saal keineswegs verdunkelt und der Leuchtkugelschreiber eher fürs Kino und Theater gedacht ... Der Dichter vorne hat sich in seine Manuskripte geworfen. Er trägt meist keinen Schlips. Er trägt oft einen Bart. Er trägt oft eine Brille. Er gleicht seinem »Image«. Manchmal trinkt er einen Schluck Wasser, das ihm die Veranstalter hingestellt haben. Er denkt, während er liest, vielleicht darüber nach, daß der Veranstalter ihn als den »vielleicht größten Lyriker im norddeutschen Raum nach der Droste-Hülshoff« vorgestellt hat. Wenn er wollte, dürfte ihm dabei einfallen, was von Gerhard Zwerenz einst über Martin Walser verlautbarte: Walser sei der größte deutsche Dramatiker unter den Romanschreibern aus Wasserburg am Bodensee. Zwerenz dagegen, um im

Optimale Dichterlesung

Bild zu bleiben, ist der größte auf Casanovas Spuren wandelnde Autor von den in der Bundesrepublik lebenden, der Apo und Robert Neumann nahestehenden Sachsen über 35.

Autoren, auch auf Lesungen, müssen mit Superlativen leben.

Ist die Lesung zu Ende, hat der Lesende darunter gelitten, daß er Autogramme geben mußte oder noch mehr darunter, daß er nur so wenige Autogrammwünsche zu erfüllen hatte, geht es zumeist in den Ratskeller. Dort hängt man an seinen Lippen, die man zu diesem Zweck mit Wein befeuchtet. Die Anwesenden, die Stillen im Lande, geben ihre Leseerfahrungen mit dem Dichter zum besten - strafender Blick des Ehemanns: »Aber Martha, das verwechselst du mit der Blechtrommel!« Martha, gekränkt: »Aber so ähnlich ist es doch hier auch - irgendwie.«
Dichterlesungen dienen in erster Linie der Umsatzförderung. Sie sind im Unterschied zum Fernsehinterview das, was das »lebendige, blutvolle« Theater im Unterschied zum »toten, technischen« Medium ist. Der Dichter ist die Botschaft. Manche Buchhandlungen leben sozusagen auch seelisch vom Reiz der Dichterlesungen. Manche Buchhändlerinnen mehr vom Reiz des Dichters.

Wenn es aber Dichterlesungen gibt, muß es da, zum Teufel, nicht auch Dichter geben?

Was also, bitte, ist ein Dichter?

Hölderlin: »Was aber bleibet, stiften die Dichter.«
Nietzsche: »Dichter als Erleichterer des Lebens. - Die Dichter, insofern auch sie das Leben des Menschen erleichtern wollen, wenden den Blick entweder von der mühseligen Gegenwart ab oder verhelfen der Gegenwart durch ein Licht, das sie von der Vergangenheit herstrahlen machen, zu neuen Farben. Um dies zu können, müssen sie selbst in manchen Hinsichten rückwärts gewendete Wesen sein . . . Es ist freilich von ihren Mitteln zur Erleichterung des Lebens einiges Ungünstige zu sagen: sie beschwichtigen und heilen nur vorläufig, nur für den Augenblick; sie halten sogar die Menschen ab, an einer wirklichen Verbesserung ihrer Zustände zu arbeiten, indem sie gerade die Leidenschaft der Unbefriedigten, welche zur Tat drängen, aufheben und palliativisch entladen.«
Lessing: »Die wahren Kenner der Dichtkunst sind zu allen Zeiten, in allen Ländern ebenso rar, als die wahren Dichter selbst gewesen.«
Der Sprachbrockhaus: »ich dichte (habe gedichtet), 1) es, schaffe ein Sprachkunstwerk, bes. in Versen: d. mir ein Lied . . . der Dichter, -s, - die Dichterin, -/ -nen, 1) Verfasser von Versen oder anderen Wortkunstwerken. 2) sinniger Mensch, der die Welt beseelt sieht.«

Hölderlins hohe Definition, die den Dichter zum zweiten Schöpfer der Wirklichkeit macht (zu welchem Behufe übrigens Lichtenberg dem so Beschäftigten durchaus Wein empfiehlt), diese Definition wird dem Sprachbrockhaus schon zur Verlegenheit. Denn die Frage, an einen Autor gerichtet »Sind Sie ein Dichter?« klingt noch relativ vernünftig im Vergleich zur Frage: Sind Sie also ein Verfasser von Versen oder anderen Wortkunstwerken? Oder, noch schlimmer: Sind Sie gar ein sinniger Mensch, der die Welt beseelt sieht?

Das Wort, die Berufsbezeichnung, die keinen Beruf zu meinen vorgibt, sondern gleich eine Berufung, muß schon lange Zeit einem gefährlichen Verschleiß ausgesetzt gewesen sein, da schon Lessing (siehe Zitat) von den »wahren« Dichtern spricht - so wie Wochenendakademien vom »echten« Gespräch reden müssen, woraus mit Sicherheit zu entnehmen ist, daß sie eine Tarnung für Geschwätz meinen.

Die gravitätische Erklärungsart des Brockhaus bringt uns der Wahrheit auch einen Schritt näher. Denn so sehr es theoretisch richtig ist, daß man im Deutschen, ähnlich wie im Englischen oder Französischen, zwischen verseschreibenden Dichtern (Kennwort: von Rilke und George an aufwärts) und »bloßen« Schriftstellern (von Fontane an abwärts) unterscheiden kann, so ist doch praktisch noch viel richtiger, daß dem Wort die leise Komik des zu Weihevollen anhaftet, daß also die Umschreibung: sinniger Mensch, der die Welt beseelt sieht, der Wahrheit, wenn auch mehr auf unfreiwilligem Wege, recht nahe kommt.

Dichter, das verträgt sich nicht mit Einkommensteuererklärung, geregelter Arbeitszeit, Mundgeruch, Genuß von Semmelknödeln. Das Wort schwebt vierzehn Zentimeter über der Erde und erinnert an jene Christian-Fürchtegott-Gellert-Anekdote, bei der die Komik darauf beruht, daß Frau Gellert ihren Mann, der des Morgens im Garten lustwandelte, Schlag zehn mit dem Satz ins Haus rief: »Christian-Fürchtegott! Dichten!« N. B. Es kann auch um neun gewesen sein.

So ist zwar sicher nicht erprobt, ob deutsche Gerichte einer Beleidigungsklage stattgeben würden, in der der Kläger anführte, er sei vom Beklagten »Sie Dichter!« beschimpft worden. (Mir kommt es schon ähnlich komisch vor, wenn Grass sich von einem deutschen Gericht bescheinigen läßt, er habe keine Pornographie verfaßt, was doch, besonders als Vorwurf von Ziesel erhoben, geradezu die Ehrung durch den früheren Lorbeerkranz ersetzen müßte.) Aber erprobt ist die Komik, die darin liegt, wenn Frau X, die Gattin des Unternehmers X, voll

Stolz erklärt, zur letzten Party habe sie gleich zwei Dichter eingeladen.

Wir wagen also eine Definition:
Ein Dichter ist jemand, den es aufgrund von Wandlungen im Geschmacksurteil der Zeitgenossen, die von Schreibenden keine mysterischen Versenkungs- und Verwandlungsakte erwarten, gar nicht mehr geben kann. Ein Dichter, das ist jemand, der in veralteten Germanistik-Seminaren vorkommt, in Pennäler-Scherzen. Dichten ist eine Tätigkeit, die es weder in Versen noch in Prosa noch gibt, weder im Selbstverständnis der Schreibenden noch in dem Verständnis der noch Lesenden.
Das Wort klingt heute so, als ob man Veloziped für Fahrrad sagte. Insofern ist Friederike Kempner, der »Schlesische Schwan«, eine echte große Dichterin gewesen.
Dies hängt auch damit zusammen, daß jener Inspirationsfluß, bei dem Engel dem Dichter etwas einblasen - Rilke hat das für das Zustandekommen seiner *Duineser Elegien* ja sehr beredt geschildert - nicht mehr so recht geglaubt wird. Lächelten die Zeitläufte des Genie- und Dichterkults über jene Barockepoche, wo man vermeinte, die Dichtkunst mittels des Nürnberger Trichters erlernen zu können, so kommt uns momentan glücklicherweise auch ein Lächeln an, wenn wir daran denken, wie unsere Großväter Schillern allabendlich zum Parnaß aufschwebend sich vorstellten: die fauligen Äpfel leisteten ihnen dabei wohltätige und praktische Vorstellungshilfe.
Thomas Mann, der seinen Essay über Goethe durchaus programmatisch »Goethes Laufbahn als Schriftsteller« nannte, hat zu der erwähnten Unterscheidung zwischen Dichter und Schriftsteller, die den einen in Versen und in Wolken schweben sah, den anderen bei der minder eingeschätzten prosaischen Arbeit, bei der vielleicht (schrecklicher Verdacht!) »nur« die Intelligenz gefordert würde, unter anderem geschrieben:

»Es ist, meine Damen und Herren, eine recht unfruchtbare kritische Manie, zwischen Dichtertum und Schriftstellertum lehrhaft zu unterscheiden - unfruchtbar und selbst undurchführbar, weil die Grenze zwischen beiden nicht außen, zwischen den Erscheinungen, sondern im Innern der Persönlichkeit selbst verläuft und auch hier noch bis zur Unbestimmbarkeit fließend ist. Dichterische Einschläge ins Schriftstellerische, schriftstellerische ins Dichterische gibt es so viele, daß die Sonderung zum wirklichkeitswidrigen Eigensinn wird, nur aus dem Wunsche geboren, dem Unbewußten, Vorgeistigen, dem, was man als das eigentlich Geniale empfindet, auf Kosten des Verstandesmäßigen zu huldigen und diesem unter der Hand Geringschätzung zu erweisen . . . Der durchaus unintelligente Dichter ist der Träumer einer gewissen romantischen Naturvergötzung, er existiert nicht, der Begriff des Dichters selbst, der Natur und Geist in sich vereinigt, widerspricht seinem Dasein . . .«

Mit Verlaub und dem nötigen Respekt vor Thomas Mann könnte man sogar hier noch sagen, daß selbst die Unterscheidungsemphase uns abhanden gekommen ist, die hier noch vorwaltet. Mit der Frage, ob Shakespeare mehr Dichter, Goethe mehr Schriftsteller gewesen sei, wie sie Thomas Mann bei Emerson vorfand, wäre heute nicht viel mehr als Verständnislosigkeit zu ernten.

Auch die Ewigkeitsapostrophen derjenigen, die, einem dem Dichterbegriff nahestehenden Erwartungsmuster zufolge, für die Ewigkeit schreiben, sind kurzlebig und wandelbar.

Lessing, der sich, ungemein bescheiden, nicht für einen Dichter hielt, was seinen ungemein gescheiten, schönen, dichterischen Stücken lange Zeit nicht nur von Studienräten hämisch entgegengehalten wurde, hat sich über das verhoben-gehobene Dichterbild unter anderem in einem Epigramm, das Klopstock - also den damals wohl am dichterischsten eingeschätzten Dichter -, betrifft, auseinandergesetzt:

14

Die Pinscher, die er rief . . .

Wer wird nicht einen Klopstock loben?
Doch wird ihn jeder lesen? - Nein.
Wir wollen weniger erhoben
Und fleißiger gelesen sein.

Wenn viele Dichterlesungen jenen Lächerlichkeitsgrad falscher Erhebung hervorrufen, dann deshalb, weil sie scheinbar vorgeben, die Kerzen reiner Geistigkeit anzuzünden - in Wahrheit aber dazu dienen sollen, daß die so Erhobenen fleißiger gekauft und gelesen werden.

Das Fatale an der Bezeichnung »Dichter« ist also der damit verbundene falsche Anspruch. Also der Kult mit dem Schönen, zweckfreien Guten, dem schnöden Alltag entrückten Wahren. Noch heute zucken manche Leute erschrocken zusammen, wenn man ihnen klarmacht, daß Goethe mit dem Werther ganz schön verdient hat und daß sein Briefwechsel mit Cotta sich vorwiegend ums »schnöde Geld« drehte - auch das wieder so eine Formel, die nur im Zusammenhang und Umkreis des »Dichterischen« denkbar ist.

Was sich für Dichter schickt, ist zu verhungern. Verkannt und dem Ideal verpflichtet. Nicht in das Tagesgeschehen verstrickt. Insofern ist das Erhard-Schimpfwort von den »Pinschern« nur das folgerichtige Korrelat zu den »Dichtern«.

Ein Pinscher, der so lange tot ist, daß man seine Zeitbezogenheit, seine notwendige Verstrickung in die eigenen Zeitläufte vergessen und verdrängt hat, ist ein Dichter.

Schon deshalb müßte ein Pinscher, der zu Lebzeiten Dichter genannt wird, auf schwere Beleidigung klagen. Oder gründlich in sich gehen.

Etwas von diesem Mißverhältnis zwischen offiziöser Bedeutung zu Lebzeiten und wirklicher Wichtigkeit ist, auf das Theater bezogen, in dem Alfred-Kerr-Satz enthalten: »Je preiser gekrönt, je durcher gefallen.«

16

Die deutsche Rolle der deutschen Dichter

Viele Leute sind auf Goethe stolz, als hätten sie den *Wilhelm Meister* höchstselbst geschrieben. Dabei haben sie ihn im Zweifelsfall nicht einmal gelesen. Die Kehrseite dieses Stolzes heißt Zorn auf diejenigen Autoren, die das eigene Nest beschmutzen. Offenbar sehen national bewußte Menschen in den Dichtern so etwas wie die weithin sichtbaren Neon-Reklamen für die Vorzüge einer Nation: den Schiller, den macht uns keiner nach. So kam, im Verlaufe deutscher Geschichte, der Faust in den Tornister und mancher Schriftsteller ins Exil - wenn man beispielsweise vermeinte, daß er für den Tornister nicht recht geeignet sei.

So sehr es richtig sein mag, daß man aus dem Zustand einer Literatur

Rückschlüsse auf die Beschaffenheit einer Gesellschaft, also auch auf die einer gleichsprachigen Gesellschaft, ziehen kann, so wenig kann und konnte man stolz auf diesen Stolz sein. Denn erstens war er meist rückwirkend unverbindlich - Brecht beispielsweise, den man inzwischen für allgemein groß erachtet, weil man seine Reibfläche zu klassischem Marmor abgeschmirgelt hat, galt einem deutschen Außenminister - ausgerechnet mit Namen Brentano! - noch in den fünfziger Jahren als eine Art linker Horst Wessel. Und zweitens gleicht der Stolz auf fatale Weise dem Olympiade-Stolz: selbst leicht verfettete Nichtläufer bilden sich ja wer-weiß-was ein, wenn einer ihrer Nation die vierhundert Meter um eine zehntel Sekunde schneller lief als der Angehörige einer anderen Nation. Doch sollte man dem Sport dennoch dankbar sein: er hat, was den Nationalstolz anlangt, unsere Dichter ganz schön entlastet. Die dürfen jetzt dafür - so will die neuere Mode es - ruhig mal ein Ärgernis sein. Und während Libuda für Deutschland Tore schießt, ein anderer, wie Armin Hary, für Deutschland Rekorde brechen muß, darf der Schriftsteller im Moment getrost der Beschäftigung nachgehen, die man ihm inzwischen durchaus gestattet: nämlich das Tabu-Brechen.

Das Publikum, nach neuen Reizen aus, liebt inzwischen die Skandale: also ruhig den Oberkörper frei, mutig auf das Publikum geschimpft, nur keinen Frackzwang mehr.

Die Beschreibung der Dichterlesung war insofern eine etwas altfränkische, es folgt daher

Dichterlesung II oder Wie produziert sich ein Literaturproduzent

Veranstaltet wird sie vorwiegend in Großstädten, in den sogenannten aufgeschlossenen Metropolen. Viele Besucher haben Regenschutzkleidung angezogen: »Ob er heute wieder in den Saal pinkelt?« fragt eine Dame neugierig erregt. Parallel zum Künstler rüsten sich im Saale die Parallelkünstler (in Frankfurt beispielsweise trugen sie jahrelang den Namen Imhoff). Sie machen schon mal den Oberkörper frei, selbst wenn sie keine Damen sind. Sie kraulen die Nachbarn unterm Kinn. Ein Kritiker bemerkt, das sei nur folgerichtig; sein Nebensitzer nickt und spricht von einem Akt reiner Notwehr und großer Verweigerung.

Der Autor selbst hat entweder einen Hilfsarbeiter mitgebracht, bei dem er zur Zeit schreiben läßt oder er beginnt die Bildzeitung vorzulesen, wozu ein Assistent Mehl ins Parkett streut. Jetzt macht es mehreren Leuten Spaß, schimpfend den Saal zu verlassen. Sie machen das bei jeder dieser Veranstaltungen, die Wollust des Ärgers reicht drei Wochen aus. Hoffentlich gibt es dann wieder so richtig schön was zu gucken bei der Lesung! Ein Weitgereister meint verächtlich, daß man derartiges heutzutage nur noch in einem Kloster bei Innsbruck wirklich gut sehen könne. Dort werde, auf einer jährlichen Literaturtagung, der Literaturbetrieb richtig aus den Angeln gehoben.

Bazon Brock, der sich nicht Dichter, sondern Beweger nennt, vor Jahren zu der Hamburger Lyrikerin Heike Doutiné, als die Gedichte las: Sie sei so schön, wer so schön sei, brauche keine Gedichte mehr zu schreiben, der sei selbst eines.

Die Lyrikerin Renate Rasp unterstrich, vielleicht deshalb, ihre Gedichte durch einen entblößten Oberkörper. Der Oberkörper ging in das Fernsehen und in ihre Gedichtbände ein.

In Wolfgang Bauers Stück *Magic Afternoon* bewerfen sich die beiden Hauptdarsteller - einer ist Schriftsteller - mit Büchern, wozu sie ausrufen:

Scheiß-Dürrenmatt, Scheiß-Pinter, Scheiß-Albee, Scheiß-Walser, Scheiß-Grass«, dann fröhlicher werdend: »Scheiß-Ionesco, Scheiß-Audiberti, Scheiß-Adamov, Scheiß-Genet, Scheiß-Anouilh, Scheiß-Beckett« (beide lachen schon), jetzt eine abschließende Balgerei mit Klassikern: »Scheiß-Goethe, Scheiß-Schiller . . . etc.« - Den Rest sowie weitere Autoren überläßt Bauer freundlicherweise dem Regisseur.

Dazu der Kritiker Botho Strauß: »Die rückhaltlose Konsumbejahung schlägt, im Gesellschaftlichen geradeso wie im Intimsten, an irgendeiner Schwelle um in innige Zerstörungswut, destructures in der Objekt-Kunst, Liquidierung der etablierten Literatur. Charly und Birgit schmeißen sich, die Autoren verfluchend, die Bibliothek um die Ohren. Neo-Bruitismus im amerikanischen Beat.«

Rolf Dieter Brinkmann, der eine Anthologie der neuen amerikanischen Szene herausgegeben hat und mit viel Wirrnis provokant sein will, plädiert für eine neue Sensibilität: »Es ist tatsächlich nicht einzusehen, warum nicht ein Gedanke die Attraktivität von Titten einer Neunzehnjährigen haben sollte, an die man gerne faßt. 1964 waren bereits mehr als hundert Millionen Elvis-Presley-Schallplatten verkauft. Das heißt, daß es eine Bewegung ist, die nicht mehr hauptsächlich durch Literarisierung bestimmt wird, doch auch keineswegs Literarisches ausschließt . . . Diese Bewegung bedient sich der technischen Mittel ja nach subjektiver Vorliebe, vollzieht und schafft ein Stückchen befreite Realität, die ihrerseits Gewaltanwendung seitens der Unterdrückten, Unterprivilegierten, Ausgeschlossenen und Außenseiter gegen den militarisierten Standard, das standardisierte Verständnis ermöglichen hilft, sie unterstützt und ihr die Argumente liefert, denn die neuen Produkte lassen sich nicht ohne weiteres dem Bestehenden zuschlagen, indem sie willig eine Alibifunktion erfüllen - sie haben die bestehenden Verständniskategorien hinter sich gelassen, die Zettelkästen sind durcheinandergeraten und nicht mehr zu gebrauchen.«

Deutscher Leser

Schrieb's - und öffnete seinen Zettelkasten, um ihn zu einer Prachtanthologie zusammenzuschütten, die chic und gut verkäuflich ist und die sich, ohne weiteres, dem Bestehenden zuschlagen ließ.

Aber so ist das - da kommen die Autoren und schreien »Scheiße« und »So geht das nicht weiter«. Und dann kommt ein Kritiker und bemerkt dazu ernst kategorisierend: Scheiß-Albee, Scheiß-Pinter, Scheiß-Ionesco: »Neo-Bruitismus im amerikanischen Beat.« Schon ist der Autor geschafft.

Und was die hundert Millionen Elvis-Presley-Platten angeht: die lassen sich schon deshalb nicht, wie Brinkmann meint, dem Bestehenden *nicht* zuschlagen, weil sie das Bestehende sind.

P. S.: Im Jahr 1969 gab es in der Bundesrepublik Deutschland keine Revolution. Dafür, unter anderem, einen schönen Band, eine Anthologie mit dem Titel *Revolutionsdramen*. Die Herausgeber, Reinhold Grimm und Jost Hermand, bemerken dazu, was dazu zu bemerken ist:

»Die Deutschen waren nie imstande, ihre Revolutionen zu vollenden. Sie haben keine Revolution. Was sie haben, sind Revolutionsdramen. Mit einer Fülle und Vielfalt, die wohl von keiner anderen Literatur übertroffen wird, sind sie ihrer Neigung zur gestalteten Idee nachgegangen und haben Stücke über die Revolution geschaffen. Es ist ihre tragische Leistung, die Revolution nicht durch die Tat, sondern durch bildhafte Darstellung und Leidenschaft des Gedankens vollendet zu haben.«

Sind solche Sätze komisch? Ich finde schon. Sagen sie auch was über Deutschlands Dichter? Ich finde sehr.

Dichter allein zu zählen, lohnt sich offenbar nicht. Die verschwindend kleine Zahl, stets ein Sorgenkind der Statistik, drängt die Zähler zu Bündelung. Sie verfahren dann, wie Nestroy es einmal für einen untüchtigen Landwirt geschrieben hat: da werfe einer Kraut und Rüben so durcheinander, als wären es Kraut und Rüben . . .

Als also am 6. 6. 1961 gezählt wurde, da fand man in der Gruppe der »Schriftsteller, Publizisten und Lektoren« 22 200 Angehörige. Davon waren 8600 selbständig, 13 500 angestellt, und der Rest befand sich »in Ausbildung«. Wie - in Höllerers Namen, der in seinem Berliner Literarischen Colloquium das Dichten lehrte -, wie bildet man Schriftsteller aus? Und wo ist ein Dichter, wenn er sich »in Ausbildung« befindet?

Wir wissen: Goethes Aufenthalt in Sesenheim, wo er jene Friederike kennenlernte, die in einer Operette zu verhunzen Lehàr vorbehalten blieb, war ein Aufenthalt »in Ausbildung«. Daß dies auch andere so empfanden, geht aus dem Verhalten des Sturm- und Drang-Dichters Jakob Michael Reinhold Lenz ganz deutlich hervor. Der nämlich wollte es Goethen in allem gleich tun, also suchte er auch die gleiche Fachschule für Liebes-Lyrik in Sesenheim auf, nämlich Friederike.

Gottfried Benn kennt andere Ausbildungsmethoden. Er führt in seinem Essay »Das Genieproblem« die sozusagen klinischen und lasterhaften Voraussetzungen des Dichterberufs an; wobei ich beim Zitieren Genies aus nichtschreibenden Branchen ausgelassen habe:

»Es litten an ausgesprochen klinischer Schizophrenie: Tasso, Lenz, Hölderlin, Panizza, Gogol, Strindberg; latent schizophren waren: Kleist. An Paranoia: Gutzkow, Rousseau; Melancholie: Molière, Lichtenberg; mit Selbstmord: Raimund. Hysterische Anfälle hatten: Platen, Flaubert, Otto Ludwig, Molière. Es starben an Paralyse: Maupassant, Lenau, Nietzsche, Jules Goncourt, Baudelaire. Es starben an arteriosklerotischer Verblödung: Kant, Gottfried Keller, Stendhal. Es starben durch Selbstmord: Kleist, Raimund.« »Es tranken, wobei Trinken keine bürgerliche Flüssigkeitsaufnahme bedeutet, wie zum Beispiel bei Goethe, der sein Leben lang täglich ein bis zwei Flaschen Wein trank, sondern mit der erklärten Absicht des Rauschs: Opium: Shelley, Heine, Quincey (5000 Tropfen pro Tag) Coleridge, Poe. Absinth: Musset, Wilde. Äther: Maupassant (außer Alkohol und Opium); Haschisch: Baudelaire.«

Vom Alkohol berichtet Benn, daß Sokrates ihm zusprach, daß Lo Tei Ke, der »große Dichter, welcher trinkt« genannt, am Alkohol starb, daß Schubart seit dem 15. Lebensjahr soff; er nennt dann noch Tasso, Gottfried Keller, E. T. A. Hoffmann, Poe, Musset, Verlaine, Lamb, Grabbe, Lenz (nicht Siegfried, über den, da er noch lebt, nichts Nachteiliges bekannt ist), Jean Paul, Reuter, von dem Benn diagnostiziert: »Dipsomane, Quartalssäufer«.

Und weiter führt Benn an: »Fast alle waren ehelos, fast alle kinderlos, über glückliche Ehen weiß man eigentlich nur von einem halben Dutzend Musikern, dann von Schiller und Herder.«

Da sieht es denn heute, denkt man an stolze Väter wie Grass oder Peter Handke, schon bürgerlicher unter den Dichtern aus.

Rudolf Walter Leonhardt, der vor Jahren (damals) »Junge deutsche Dichter für Anfänger« vorstellte, registrierte auch deren wohlgeordnete Schreib- und Lebensgewohnheiten. So heißt es zum Beispiel von Wolfgang Hildesheimer, er bevorzuge als »Arbeitszeit den Spätnachmittag oder Abend. Er kann nur am eigenen Schreibtisch arbeiten. Er raucht dabei Pfeife und genehmigt sich zwischen sechs und halb sieben einen Whisky, aber nur einen.«

Da waren Balzac, mit seinen vierzig Tassen Kaffee pro Tag, und Grabbe, mit seinem unlöschbaren Alkoholverlangen, noch anders dran.

Ist also das Schriftstellern ein »bürgerlicher« Beruf geworden, nachdem ihm die Patina des »Genialen« im Zeitalter der technischen Reproduzierbarkeit von Kunst (Walter Benjamin) abhanden gekommen ist?

Auf jeden Fall gleichen die Schriftsteller in ihren Lebensgewohnheiten ihren Generationsgenossen wie ein statistischer Befund dem anderen. Die (inzwischen) Älteren trinken ab und an einen Whisky, die ganz Jungen leben schon mal in Kommunen, mögen Beat und Soul (was ihren Funkeinsatz als gelegentliche Disk-Jockeys erleichtert) und rauchen auch Haschisch. Dieses aber hat längst aufgehört, ein »Genieproblem« oder ein Literatenspezifikum zu sein. Im Gegenteil: Deutschlands schönster Dichter, Hans-Georg Behr, hat den fleißigen Hausfrauen mit seinem *Haschischkochbuch* das Walten erheblich erleichtert.

Die statistische Erhebung von 1961 hat nicht nur den Schönheitsfehler, rund zehn Jahre alt zu sein, sie trennt, der Erfaßbarkeit wegen, auch nicht zwischen Lektoren, Publizisten und puren Schriftstellern.

Der Bundesverband deutscher Schriftsteller hat in seinen Reihen rund dreitausend lebende Schriftsteller. Er ist in zehn Landesgruppen unterteilt, wovon Bayern (siehe da!) die stärkste Gruppe bildet, nämlich mit 480 Mitgliedern. Auch hier kann man die Schriftsteller nicht reinlich von anderen Menschen scheiden, denn der Bundesverband hat noch die beiden Fachgruppen »Kritiker« und »Übersetzer«.

Das Deutsche PEN-Zentrum der Bundesrepublik hat rund 270 Mit-Mitglieder. Aber auch hier gibt es, unter puren Schriftstellern, auch bloße Journalisten.

191 Autoren schließlich führt das von Reinhard Lettau herausgegebene Handbuch über die »Gruppe 47« an. Soviel Autoren nämlich haben auf Tagungen »der Gruppe« ihre Texte vorgelesen. Das wiederum sind natürlich lange nicht alle deutschen Schriftsteller, denn manch etablierter Name fehlt da, weil er sich zum Vorlesen zu gut war; andere wurden nicht geladen oder hatten sich im Zorn abgewandt.

Dein Dichter - das unbekannte Wesen

Ein Witz jüngeren Alters (Jahrgang 1970) erzählt von Karajan. Davon, wie der Maestro in einer Großstadt bei dem Portier eines Luxus-Hotels gebieterisch eine Zimmer-Suite verlangt. Als der Portier ihm sagt, daß da leider nichts zu machen sei, weil das Hotel restlos ausgebucht wäre, begehrt Karajan auf: »Aber ich bin Herbert von Karajan«. Darauf der Portier: »Und wenn Sie Heintje wären - wir haben nichts mehr frei.«

Ein Dichter wäre, was seinen Popularitätsgrad im Vergleich zu Heintje oder Werner Höfer angeht, wahrscheinlich noch weit schlechter dran. Und man kann das Wort »wahrscheinlich« in dem vorausgehenden Satz ruhig durch die Sicherheit einer Umfrage aus dem Jahr 1969 ersetzen. Mit der Beliebtheit deutscher Dichter, mit ihrer Bekanntheit, ist kein Staat und kein goldener Schuß zu machen.

Über die Hälfte von tausend repräsentativ Befragten in der Bundesrepublik konnten keinen einzigen lebenden deutschen Dichter oder Schriftsteller mit Namen nennen. Die übrigen, also nicht ganz fünfhundert, kennen vor allem Günter Grass und Heinrich Böll. Bei einer Umfrage des Instituts für angewandte Sozialwissenschaft in Bad Godesberg erwähnten auf die Frage: »Können Sie mir die Namen von drei lebenden deutschen Dichtern und Schriftstellern nennen?«

34 Prozent Günter Grass

12 Prozent Heinrich Böll

Mit 6 Prozent an dritter Stelle (also von 60 Leuten unter tausend genannt und nicht einmal notwendigerweise gekannt) lag Erich Kästner.

Acht Prozent der Befragten war der Unterschied zwischen lebendig und tot nicht weiter erheblich: sie nannten auf die Frage nach einem lebenden Schriftsteller einfach einen Verstorbenen, Goethe zum Beispiel.

Vier Jahre zuvor, also im Jahr 1965, sah das Ergebnis nicht viel anders aus. Damals rangierte Grass vor Böll, Hochhuth und Kästner. Von den damals befragten Volksschülern ohne Lehre vermochten 77 Prozent, von Personen mit Volksschulbildung und Lehre 56 Prozent, von den Absolventen einer Mittel- und Fachschule 27 Prozent und von Abiturienten und Akademikern 15 Prozent keinen lebenden deutschen Dichter zu nennen.

Bei den Akademikern und Abiturienten wäre es schon interessant zu erfahren, was da auf ihren Schulen an Literatur betrieben wurde. Letzter behandelter Dichter wahrscheinlich Gerhart Hauptmann. Danach kommt für viele Lehrer nichts Nennenswertes.

Was das Ergebnis insgesamt betrifft, so kommt man fast um die Modevokabel »elitär« nicht herum. Literatur jedenfalls ist in ihren Auswirkungen immer noch leider eine Sache der so apostrophierten *happy few.* Nur daß diese, fragt man sie über Literatur aus, sich nur wenig *happy* zeigen. Um nochmals den Altkanzler Erhard zu zitieren: Moderne Literatur in Deutschland - also die damals wenigstens noch halbwegs bekannten Autoren wie Grass und Hochhuth - bildete für ihn schlichtweg »unappetitliche Entartungserscheinungen«.

Vielleicht kam es deshalb in der Adenauer-Ära und in den nachfolgenden Jahren zu der Hochschätzung von Kriminalromanen. Die jedenfalls waren die einzige Literatur, zu deren Lektüre sich der erste deutsche Nachkriegskanzler fröhlich bekennen wollte. Und der dritte Kanzler, Kurt Georg Kiesinger, der bekanntlich selbst ein *deutscher* Dichter werden wollte, galt auch flugs schon als Schöngeist, weil er seine Toqueville-Lektüre wohl im Munde zu führen wußte.

Anders wurde es bei Willy Brandt. Als der seine Regierungserklärung abgab, rochen CDU-Kritiker Lunte: manches, so ließen sie verlauten, habe doch so geklungen, als habe es ein gewisser, wie heißt er doch gleich, ach, ja, Günter Grass, verfaßt...

Doch zurück zu den elitären Schranken, die zwischen Volk und Dichter so offenkundig bestehen, daß man neben dem Grabmal des Unbekannten Soldaten, neben der süß-wehen Tonmaske der Unbekannten aus der Seine, neben dem unbekannten und ungenannten Helfer oder Blindenhund, die beide ab und an, rührend verbrämt, durch die Zeitungen geistern, daß neben diesen Unbekannten man auch dem unbekannten Dichter ein Denkmal weihen müßte und sollte. Als Modell eignete sich ein durchaus sogenannter bekannter Schriftsteller. Denn der ist, wie die Umfrage beweist, unbekannt genug.

Das Verhältnis vom Buch zum Leser - es ist ein trübes Kapitel. Auf der Buchmesse 1969, auf der letzten, waren 208 000 Bücher von 3027 Verlagen ausgestellt. Aber für wen? Cui bono?

Das Institut für Demoskopie in Allensbach ermittelte in einem Test, für dessen gründliche Durchführung seine zweijährige Dauer spricht:

Kanzlerlektüre

32 Prozent der Bundesbürger haben in den (damals) vergangenen zwölf Monaten nicht ein einziges Mal ein Buch in die Hand genommen.

Nur 12 Prozent besuchen regelmäßig eine Buchhandlung, um sich über die Buchproduktion zu informieren.

25 Prozent der Bevölkerung in der Bundesrepublik haben vor zwei oder drei Jahren zum letzten Mal eine Buchhandlung von innen gesehen. Und 10 Prozent waren in ihrem ganzen Leben nicht in einer Buchhandlung.

67 Prozent der Bücher werden vor Weihnachten gekauft. Und zwar nicht zum Lesen, sondern zum Verschenken. Lesen mögen andere, tu felix Germania nube!

Im statistischen Schnitt liest also jeder Deutsche nur sieben Zehntel eines Buchs pro Monat.

Literatur, ihr Erwerb und ihr Konsum, erzeugt also immer noch Schwellenangst. Die zehn Prozent, die nie in ihrem Leben eine Buchhandlung von innen gesehen haben, sind die Opfer von dreierlei Vorstellungen.

Vorstellung Nummer eins: Bildung wird in Deutschland immer noch als Privileg gehandhabt. Literatur betrifft nicht alle, sondern die Eingeweihten und Auserwählten. Um hier in der Voraussetzung eine Änderung zu erreichen, müßten die immer noch vorhandenen Bildungsschranken beseitigt werden. Nur eine Gemeinschaft ohne ein deutliches, klassengebundenes Bildungsgefälle könnte auch gleichmäßiger der Literatur zugewandt sein.

Vorstellung Nummer zwei: Literatur muß ein schweres, saures Pensum sein. Was Spaß macht, ist keine Kunst. Goethe darf keinen Spaß machen. Diese Vorstellung wurde (und wird?) vor allem von den Schulen kultiviert. »Besinnungsaufsätze« über Dichterisches (»Wilhelm Tell - ein Charakterbild«), Fragen, was uns der Dichter wohl damit sagen und geben wollte, leisten da schon ganz schön Vorarbeit. Wie zum Theater der dunkle Anzug, so gehört - das jedenfalls wird einem oft genug, willentlich oder unwillentlich eingebleut - zum Lesen von Dichtwerken der geistige steife Stehkragen.

Dritte Vorstellung: der Schriftsteller ist ein Geschöpf, das nur für eine bestimmte Kundschaft da ist. Den Hofnarren, den Hauspoeten hielt sich früher der König. Herrscherlob, Kurzweil für die Gelangweilten waren seine Aufgaben. Walther von der Vogelweide, der sich für einen Pelz überschwenglich dichtend bedankt, Tasso, der seinem Herrscher gehört, wie Goethe dem seinen untertan war.

Mit dem Verschwinden der Dichter-eignenden Könige (als anachronistische Floskel gibt es den Hofdichter, den *poeta laureatus,* noch heute in England, so wie es im merry old England auch noch den offiziell bestallten Hofmaler gibt - bis dieser despektierliche Bemerkungen über sein Allerhöchstes Modell, Ihre Majestät, die Königin, macht) übernahm das wohlsituierte Bürgertum die Mäzenaten- und Eigentümer-Rolle. Das konnte so gehen, daß sich erlesene Damen den Erlesenen Lyriker Rainer Maria Rilke ganz direkt unter den Nagel rissen, indem sie ihm Aufenthalt und Bewirtung zukommen ließen, wofür er sich mit wundersam zarten Briefwechseln revanchierte. Es konnte aber auch so passieren, daß man Dichtkunst über den Markt steuerte.

Der arme Bertolt Brecht, der seine *Dreigroschenoper* genau gegen die Leute schrieb, die diese nerzbewehrt und diamantenglitzernd zu ihrem »Theaterereignis« emporklatschten, ist dafür ein berühmtes Beispiel.

Brecht war es auch, der mit selbstquälerischer Aufrichtigkeit über diese Rolle des Dichters in der Gesellschaft nachdachte. In seinem nachgelassenen Stück *Turandot oder der Kongreß der Weißwäscher* dienen die Intellektuellen und die Dichter vorwiegend dazu, die gar nicht schöne Wirklichkeit in einer verrotteten Gesellschaft mit dem schönen Schein erhabener und vertuschender Worte zu verbrämen. Ähnlich dachte ja auch, vergleiche oben, Nietzsche.

Auch von Brecht ist jene Geschichte des Herrn Keuner, in der ein Arbeitsloser, vor Gericht befragt, ob er denn den Eid mit oder ohne religiöse Bekräftigungsformel leisten wolle, die scheinbar unpassende Antwort erteilt, er sei arbeitslos.

Für viele stellt die Literatur, bewußt oder unbewußt, immer noch einfach unpassende Fragen für unpassende Antworten her. Wenn sie nichts von Dichtern, nichts von Literatur wissen wollen, dann nicht aus Bequemlichkeit, oder auch nicht, weil sie - wie ihnen die Kulturkritiker gerne vorhalten - lieber leichter vor dem Bildschirm sitzen, sondern weil sie, zu Recht oder zu Unrecht, annehmen, daß da nicht ihre wahren Angelegenheiten verhandelt würden. Ihre vielgerügte »Bequemlichkeit« ist nur ein anderer Ausdruck dafür, daß sie im Grunde von der Ahnung beherrscht werden, sie seien nicht für die Literatur, die Literatur sei nicht für sie »zuständig«.

Was man auch alles gegen diesen Zustand unternimmt - die Einsichten der demoskopischen Erhebungen bleiben eine quälende Herausforderung. Für die Gesellschaft, für die Dichter und für die Bedichteten.

Walther von der Vogelweide schätzte Pelzwerk

»Frühere Verhältnisse«

Früher war alles besser. Die Butter, die Treue der Mädchen, die Stärke und Aufrichtigkeit des Händedrucks. Also auch die Dichtung und die Dichter. Manch ein älterer Herr seufzt den Goldenen Zwanziger Jahren nach, damals, als die Dichter alle im Romanischen Café in Berlin saßen, da gab es noch Kerle unter den Schriftstellern; damals, als die *Dreigroschenoper* uraufgeführt wurde: zählt man alle Leute, die einem je begegnet sind und deren Lebensalter ihnen einen gewissen Rückhalt der Wahrscheinlichkeit für die Behauptung lieferte, die Premiere der Dreigroschenoper besucht zu haben, nimmt man weiter an, daß selbst von den Premierenbesuchern inzwischen einige das Weltliche mit dem Zeitlichen vertauscht und verwechselt haben müssen, dann kommt

man zu der verblüffenden Feststellung, daß das Theater am Schiff-
bauerdamm damals etwa so groß wie das Olympiastadion gewesen sein
muß, um alle Premierengäste zu fassen.

Aber so ist das mit früher. Jeder will dabei gewesen sein, möchte den
Abglanz der Goldenen Zwanziger als Widerschein mit sich herumtra-
gen, wenn er jammert, daß es heute keinen Bert Brecht und keinen
Franz Kafka, keinen Thomas Mann und keinen Robert Musil mehr
gibt. Ganz zu schweigen von Hans Henny Jahnn! Nur: wer kannte und
las damals schon Musil. Und wer ahnte wirklich schon etwas von der
Bedeutung von Kafka?

Macht man die Probe aufs Exempel, dann findet man beispielsweise,
daß Kurt Tucholsky, als er 1920 die Kafka-Erzählung *In der Strafko-
lonie* rezensierte, schon durchaus merkte, was er da vor sich hatte:
»Dieses schmale Buch«, so schrieb er, »ist eine Meisterleistung.« Und
vorausahnend, was die Deute- und Bedeutungswut mit Kafka anstellen
würde, meinte Tucholsky am Schluß seiner hymnischen Kritik: »Ihr
müßt nicht fragen, was das soll. Das soll gar nichts. Das bedeutet gar
nichts. Vielleicht gehört das Buch auch gar nicht in diese Zeit, und es
bringt uns sicherlich nicht weiter. Es hat keine Probleme und weiß von
keinen Zweifeln und Fragen. Es ist ganz unbedenklich. Unbedenklich
wie Kleist.«

Über die Dreigroschenoper, die 1929 uraufgeführt wurde und es auf
die enorme Zahl von 250 Aufführungen in einer Spielzeit brachte,
machte der Theaterpapst des damaligen Berlin, Alfred Kerr, am Schluß
der Saison (wie er sagte) eine »mulmige Bilanz«. Da er Brecht im Falle
der Dreigroschenoper nur für einen Plagiator und Nutznießer des
John Gay und anderer hielt (Kerr: »Leider kein deutsches Stück«),
fand er auch, daß Brechts berühmtestes Opus nicht weiter von Bedeutung sei: »Was hat die allerliebste *Beggar's Opera* schließlich mit der
Gegenwart zu tun? O Gott. Weil bißchen drohender Schritt der Bett-

lerbataillone, weil bißchen Scheinkommunismus schandenhalber auf-
gepappt ist. Pühhh!« »Ohne die Musik des hier prachtvoll sparsamen
Weill ist es ein Nullerl. Ein Aschen. Ein alter Tauchnitz. Ein Dreizehn-
aufsdutzend.«

So also kann das glanzvolle Früher auch aussehen, wenn es noch Gegenwart ist. Wer Neid empfindet, nicht dabei gewesen zu sein, der
sollte sich einmal vor Augen halten, wie oft man damals meinte, da
werde einem wieder etwas ganz und gar Unzumutbares zugemutet.
Auf das inzwischen zu klassischen Ehren gelangte, in alle großen
Staatsopern eingezogene *Mahagonny* von Brecht und Weill reagierte
das Leipziger Premierenpublikum wie folgt. (Unser Berichterstatter ist
der Kritiker Alfred Polgar):

»In nächster Umgebung meines Platzes geschah allein schon folgendes:
Die Nachbarin links wurde von Herzkrämpfen befallen und wollte
hinaus; nur der Hinweis auf das Geschichtliche des Augenblicks hielt
sie zurück. Der greise Sachse rechts umklammerte das Knie der eigenen Gattin und war erregt! Ein Mann hinten redete zu sich selbst: ›Ich
warte nur, bis der Brecht kommt!‹ und leckte sich - in Bereitschaft sein
ist alles - die Lippen feucht. Kriegerische Rufe, an manchen Stellen
etwas Nahkampf, Zischen, Händeklatschen, das grimmig klang wie
symbolische Maulschellen für die Zischer ... Es gab eindrucksvolle
Episoden. Ein würdiger Herr mit gesottenem Antlitz hatte seinen
Schlüsselbund gezogen und kämpfte durchdringend gegen das epische
Theater. Vier Schlüssel hingen an langer Kette, vermutlich der Haus-,
der Wohnungs-, der Lift-, der Schreibtischschlüssel. Den fünften hielt
der Mißvergnügte an die Unterlippe gepreßt und ließ über die Boh-
rung im Metall Luftströme von höchster Schwingungszahl streichen.
Der Ton, den das Instrument erzeugte, hatte etwas Erbarmungsloses,
in den Magen Schneidendes: es muß der Kassa-Schlüssel gewesen sein,
auf dem der Wilde blies. Seine Frau verließ ihn nicht in der Stunde der

Berthold Brecht

Entscheidung. Eine sehr große Frau, aufgesteckter Haarknoten, glatt fallendes blaues Kleid mit gelben Rüschen zuunterst. Die Dame hatte zwei dicke Finger in den Mund gesteckt, die Augen zugekniffen, die Backen aufgeblasen. Sie überpfiff den Kassa-Schlüssel . . .«

Ein nicht ganz untypischer Fall für das Verhältnis von Dichtern zu ihren Zeitgenossen, besser: von Zeitgenossen zu ihren Dichtern. Von dem Gefühl erlebter Größe und Bedeutung, dem die Nachwelt so gerne nachseufzt, ist da wahrlich nichts zu merken.

Und wer die zwanziger Jahre eben wegen des aufregenden Skandals beneidet, den unter anderem Mahagonny hervorrief, der kann ebenfalls getröstet werden: 1969 brachte beispielsweise in Zürich eine Aufführung von Edward Bonds *Gerettet* haargenau die Leipziger Wirkungen von 1929 hervor. »Wann«, so rief in Zürich eine empörte Dame, zu einem Theaterverantwortlichen gewandt, den sie im Parkett erspäht hatte, »wann bekommen wir in Zürich wieder ansprechendes Theater?« Und auch jener würdige Herr aus Leipzig mit seinem Schlüsselbund schien in mehreren Exemplaren in der Zürcher Premiere immer noch vertreten zu sein.

Aber noch früher, etwa zu Goethens und Schillerns Zeiten, da war doch alles wirklich besser?

So viel besser, daß weder Kleist noch Büchner je in den Genuß kamen, ihre Werke auf der Bühne aufgeführt zu sehen.

Und was die Wirkung auf die Zeitgenossen angeht, so gibt es zum Beispiel für Schillers *Kabale und Liebe* einen gar nicht so unbekannten, unbedeutenden Zeugen. So jedenfalls äußerte sich Clemens von Brentano über die Aufführung des längst zum Evergreen avancierten Schiller-Dramas:

»Ich kann ihnen, verehrter Freund, über die Darstellung dieses Trauerspiels keine vollkommene Rezension schreiben, denn in der Mitte des dritten Akts konnte ich es nicht mehr im Theater aushalten und ging lieber einen weiten beschwerlichen Weg durch das Tauwetter, als daß ich meine Seele mannigfaltig mißhandeln ließ.«

Zu der Zeit, da Goethe und Schiller schon einen guten Teil ihrer Werke publiziert hatten, klagte der angesehene Professor Gottsched, daß es der deutschen Bühne, Gott sei's geklagt, leider völlig an wichtigen Talenten mangle.

Mit dem »Früher«, auf das man mit feucht-glänzenden Augen zurückblickt, verhält es sich also in der Tat so, wie der Kölner Prosaist und Hörspielautor Jürgen Becker es aus der allgemeinen Bewußtseinslage unserer Zeitgenossen notiert hat:

»Früher war das alles ganz anders. Die Städte alle waren viel größer und die Dörfer waren noch Dörfer. Früher gab es noch Gerechtigkeit, und wer nicht hören wollte, mußte eben fühlen.« Diese Klage über »Früher« endet unschlagbar mit: »Früher hörte man noch zu, wenn man von früher erzählte.«

Auskünfte über Einkünfte

Da Wertschätzung sich auch in Geld ausdrücken läßt, hier ein paar Einkunftsvergleiche.

In der Zeit um 1750 verdiente die Maitresse August des Starken jährlich 100 000 Taler, Schiller als Professor in Jena mußte sich im gleichen Zeitraum mit 200 Talern einrichten. Die Solotänzerin der Dresdner Oper brachte es auf 6000 Taler im Jahr. Das war immerhin das zehnfache, was Lessing als Bibliothekar in Wolfenbüttel einnahm.

Goethe als Minister bezog, schon ganz schön, 3000 Taler im Jahr. Jedoch achtmal so viel »verdiente« sich Franziska von Hohenheim, die Maitresse des Herzogs, der Schiller bei Strafe das Dichten untersagen wollte.

Doch soll man nicht zu früh in allzu große Klagen ausbrechen, denn es gibt auch Vergleiche nach unten. So mußte ein Landschulmeister in Württemberg mit ganzen 18 (in Worten: achtzehn) Talern im Jahr auskommen. Daß man damals Soldaten höher als Lehrer schätzte, zeigt sich schon allein daran, daß es ein preußischer Grenadier auf 24 jährliche Taler brachte.

Damals muß wohl das Gerede von der »Schule der Nation« aufgekommen sein, in der Robben vor Lesen kam. Auf die Dichtkunst, auf die es hier ankommt, hat uns der sich als Protokollant in die Bundeswehr einschleichende Dichter und Wehrdienstverweigerer Günter Wallraff aufmerksam gemacht. Einige seiner Lesefrüchte aus dem in 17. Auflage vorliegenden Taschenbuch für Wehrpflichtige, das jedem Rekruten übergeben wird: »Oberster Grundsatz! Wer schneller schießt und besser trifft, bleibt Sieger!« »Im Nahkampf führt der Soldat kräftige Stöße mit seinem Seitengewehr auf den Feind aus und wirft ihn hierbei um. Blitzschnell tritt er auf den stürzenden Feind, stößt kräftig nach und zieht die Waffe im Weiterlaufen wieder aus dem Körper des Feindes heraus. Ist der Feind in Stellung, muß der Soldat den Stoß von oben auf den Hals oder die Mundhöhle des Feindes führen.« Das Militär hat, wie man sieht, seine speziellen Dichter.

Und um bei den Preußen zu bleiben: ein Oberst im Dienste Friedrich des Großen hatte 4200 Taler im Jahr, also gute tausend Taler mehr als der »Dichterfürst« Goethe als Minister einnehmen konnte. Wer immer noch vom Musenfreund und Philosophen schwärmen möchte, als der sich Friedrich II. in Lesebüchern doch so gerne niederschlägt, der müßte sich wenigstens wundern, daß sich der König bei diesen Einkommensverhältnissen seinerseits wunderte, warum es so wenig gute deutsche Schriftsteller gebe.

Sein Gespräch mit dem Fabeldichter Gellert, der sich in aller geziemenden Bescheidenheit für den deutschen Lafontaine hielt (nebenbei: zu Unrecht), ist, vorsichtig ausgedrückt, nicht frei von unfreiwilliger Komik:

Der König   Ist Er der Professor Gellert?

Gellert   Ja, Ihro Majestät.

Der König   Sage Er mir doch, warum wir keine guten deutschen Schriftsteller haben?

Major Quintus   Ihro Majestät sehen hier einen vor sich, den die Franzosen selbst übersetzt haben und den deutschen Lafontaine nennen.

Der König   Das ist viel, hat Er denn Lafontaine gelesen?

Gellert   Ja, Ihro Majestät, aber nicht nachgeahmt: Ich bin ein Original.

Der König   Gut, das ist einer, aber warum haben wir denn nicht mehr gute Autores?

Gellert   Ihro Majestät sind einmal gegen die Deutschen eingenommen -

Der König   Nein, das kann ich nicht sagen . . .

Gellert   Wenigstens gegen die deutschen Schriftsteller.

Der König   Das ist wahr! Warum haben wir keine guten Geschichtschreiber?

Gellert   . . . Überhaupt lassen sich verschiedene Ursachen angeben, warum die Deutschen noch nicht in allen Arten guter Schriften sich hervorgetan haben; da die Künste und Wissenschaften bei den Griechen blüheten, führten die Römer noch Kriege. Vielleicht ist jetzo das kriegerische Säkulum der Deutschen. Vielleicht hat es ihnen auch an Augusten und Louis XIV. gefehlet?

41   *Der König*   Er hat ja zwei Auguste in Sachsen gehabt!

Gellert Wir haben auch in Sachsen einen guten Anfang gemacht.

Der König Wie, will Er denn einen August in ganz Deutschland haben?

Gellert Nicht eben das: Ich wünsche nur, daß ein jeder Herr in seinem Lande die guten Genies aufmuntere -

Der König ... Nun, komme Er bald wieder!

Ungeachtet dessen, was der König am Ende sagte, so ist doch der Professor (Gellert) nicht wiedergekommen und gerufen worden. Da er weggegangen, hat der König gesagt: Das ist ein ganz anderer Mann als Gottsched ...«

Friedrich II., kein Deutschfan

Dichter zuhauf - oder: Was ist eine literarische Mafia

Kürzlich kamen bei einem Prozeß im Staat New Jersey Fakten ans Tageslicht, die das segensreiche Wirken der Mafia* in mehreren Bänden von Stenogrammen abgehörter Telefonate der Mächtigen dieser Gang festhielten. Wie das so geht - leider konnten die Protokolle nicht als Beweismittel verwendet werden, weil Telefonabhören zu der Zeit, während der die Polizei die Gangster belauschte, noch illegal war.
Das traf sich insofern gut, da man aufgrund dieser Telefongespräche

---

* Notabene: Geheimbund, entstanden dann und dann, gewann zahlreiche Anhänger, die die Selbsthilfe vorzogen. Aus dem Mitwirken von Elementen ergab sich die zweideutige Stellung der M., die Verbrechen beging, während sie vor den Verbrechen anderer schützte . . .

- ich übertreibe ein wenig - so ziemlich den halben Staatsapparat von New Jersey mit auf die Anklagebank hätte setzen müssen. So beklagten Mafioten etwa, daß sie in einer Stadt »nur« den Richter und den Bürgermeister »hätten«, nicht aber den Polizeipräsidenten. In einem anderen Gespräch jammerten sie über die hohen finanziellen Sonderwünsche eines hohen Beamten, der pro Ortschaft soundsoviel tausend Dollar verlange ...

Was das alles mit Deutschlands Dichtern zu tun hat? So viel: 1966 nannte kein geringerer als Robert Neumann die Berliner Gruppe der Gruppe 47, also deren damaliges Herz- und Kern- und Nierenstück, eine Literatur-Mafia.

Über Telefonate dieser Mafia, die da von Hans Werner Richter, Walter Höllerer und Günter Grass am straffen Zügel geleitet wurde, gibt es leider bisher keine geheimdienstlichen Veröffentlichungen. Soviel kann und darf man ahnen: wie sich die Mafia in New Jersey vorwiegend um Spielsalons kümmerte, so dürfte man mutmaßen, daß die Literatur-Mafia es in der Vorstellung ihrer Gegner mehr auf Rundfunksender, Redaktionen, Verlage abgesehen hatte.

Ein damaliges Telefongespräch stelle ich mir also etwa so vor:

Boß (Hans Werner Richter)   Hallo, bist du's, Little Walter?

Vizeboß (Walter Höllerer)   Ja. Was gibt's? Du klingst so sauer.

Boß   Wir haben Ärger mit Radio Bremen. Sie wollen uns das Abendprogramm am Samstag nicht mehr überlassen.

Vizeboß   Hm. Sollen wir die Schmiergelder erhöhen?

Boß   Absolut nicht. Laß dir mal was Vernünftiges einfallen.

Vizeboß   Soll ich ihnen mit ein paar Gedichten drohen?

Boß   Nicht schlecht! Aber Inspektor Neumann und Sheriff Habe könnten Lunte riechen. Sie mögen deine Lyrik nicht.

45   *Vizeboß*   Und warum nicht?

Boß Neumann kann keine Würstchen leiden - hat er im Fernsehen gesagt.

Vizeboß Dann soll vielleicht Grass die Bude ausräuchern.

Boß Schon besser. Wenn er aufs Wahlkontor haut, tanzen die Tassen. Aber da ist noch was.

Vizeboß Nämlich?

Boß Luchterhand will ein Ding drehen. Etwas herausbringen, was nicht von unsern Jungs ist.

Vizeboß Was sagt denn Grass dazu?

Boß Feixt bloß so. Seit der Bürgermeister werden will, hält er nichts mehr von unserem Racket.

Vizeboß Wir könnten die Kritik ja da auf ihn ansetzen.

Boß Ja, aber sie sollen ihn nicht gleich kalt machen. Es gäbe zu viel Wirbel. Außerdem ist er für Bremen ganz nützlich.

Vizeboß Hast du neue Direktiven vom Big Brother aus Princeton?

Boß Ja, sie wollen den Lettau zurück haben. Brauchen ihn zum Einsatz an der Westküste.

Und so weiter und so fort. Jedenfalls hat Neumann, in seiner Nachbarschaft übrigens auch Hans Habe mit gröberem Kaliber, der Gruppe 47 vorgeworfen, sie kontrolliere den deutschen Kulturmarkt, ihre Mitglieder jubelten sich gegenseitig hoch, die Gruppe habe, fast ohne über literarische Potenzen zu verfügen, doch an allen Schaltstellen in Funkhäusern, Verlagen und Zeitungen ihre Mittelsmänner.

Na und in diesem Ton weiter.

Was aber war (ist) das, die Gruppe 47?

Hermann Kesten hat sie einmal so definiert: »Man wird Gruppenmitglied, wenn man vom Gruppenleiter H. W. Richter mehrfach Postkarten erhält, die zur Gruppentagung einladen. Die Gruppe 47 ist also ein autoritärer Autorenverband auf postalischer Grundlage.«

Seit zwei Jahren schreibt Hans Werner Richter keine Postkarten mehr. Die Gruppe 47 ist also auf postalischem Wege (vorübergehend?) in den Ruhestand getreten.

1950 sah das noch anders aus. Damals definierte Jürgen von Hollander die Gruppe so: »Dichter und Nichtdichter, Kritiker und Zuhörer, Dichterfrauen und Journalisten, Arrivierte und Unbekannte verlassen ab und zu ihre brotzeugenden Tretmühlen und suchen in einer maßstablosen Zeit wenigstens die Quintessenz ihrer Meinungen als Maßstab zu benutzen. Um die Urform einer Akademie handelt es sich also.«

So schrieb man damals, 1950, noch: in Tretmühlen wurde Brot gezeugt, und die Zeit empfand sich als maßstabslos, worüber sie schrecklich traurig war und daher immer wieder über die verlorene Mitte, die verlorenen Maßstäbe, die verlorenen Werte klagte. Was in besagter verlorener Mitte sich befunden haben soll, einst, ist heute nicht mehr auszumachen. Die verlorenen Maßstäbe indes haben sich als Meßlatten beim Sport und als Meßbänder bei Misswahlen (hier ist die verlorene Mitte durch die gewonnene Oberweite wettgemacht) wiedergefunden. Auch Marcel Reich-Ranicki soll, einem on dit zufolge, noch über Maßstäbe verfügen. Weshalb er als Kritiker Dichter gern maßstabsgerecht verkleinert.

Hollander schilderte auch, wie es 1947 zur Gruppe, zu ihrer »Gründung« gekommen sei. Einige Freunde hätten sich einige Tage zusammengesetzt und versucht »in oft übertrieben offener Kritik« sich hauptsächlich die fadenscheinigen Stellen ihrer Werke unter die Nase zu reiben. Dieses Kritisiertreffen hätte man »Gruppe 47« getauft, das Treffen selbst hätte man »Arbeitstagung« genannt. Man sei mit dem Wunsch auseinandergegangen, sich bald wieder zu treffen.

Schon drei Jahre später mußte die Gruppe, schön feierlich deutsch, erklären: »Die Gruppe 47 ist nicht befugt, die junge deutsche Literatur zu repräsentieren.«

Ein feiner Satz. Seine Folgerungen könnten lauten: Unbefugten ist das Repräsentieren der deutschen Dichtung untersagt. Wer es dennoch tut, zahlt drei Gedichte Strafe.

Geben wir einem weiteren Kronzeugen, dem Urmitglied und später manchmal auch als »Verlorener Sohn« auftretenden Martin Walser das Wort. Er entwarf ein Gruppenbild des Jahres 1952 - lang, lang ist's her.

»Wer gehört dazu? Wer wird eingeladen?«

»Das ist gar nicht so einfach zu beantworten. Es gab einen Stamm: Hans Werner Richter, Alfred Andersch, Günter Eich, Ernst Schnabel, Wolfgang Bächler, Wolfdietrich Schnurre, Walter Kolbenhoff, Wolfgang Weyrauch. Diese Schriftsteller sahen da und dort einen, der so schrieb, wie man in den Jahren nach dem Krieg schreiben mußte: der wurde eingeladen, las vor, wurde kritisiert, kritisierte anschließend auch selbst, und dabei zeigte es sich, ob er sich etwas sagen ließ, ob er auch selbst etwas zu sagen hatte.«

Walser schloß dieses Gruppenbild mit einem optimistischen Ausblick. »Aber die Gruppe ist trotz ihres unorganisierten losen Zusammenhangs stabil genug, den Aschenregen der Gegner auszuhalten und dabei unvermindert zu gedeihen und fortzuzeugen, was in ihren Kräften steht.«

Und sie gedieh und zeugte fort.

Und es kamen die Kritiker.

Und es kamen die wichtigen Verleger.

Und manch einer der Autoren wuchs und wurde mächtig.

Und die Gruppe 47 reist nach Schweden, nach den USA.

Sie machte Broschüren gegen die CDU-Regierung.

Schließlich gar wollte sie nach Prag reisen.

Dort waren aber noch vor ihr und mit weit mehr Aufsehen die Sowjets eingetroffen. Die Prager Tagung, die der Gruppe in der Begegnung

Hans Werner Richter

mit Autoren eines entkrampften Sozialismus neue Impulse (wohl auch neue Publicity) zuführen sollte, fand aber nicht statt. Die Gruppe 47 hat seit diesem ausgefallenen Prager Treffen nicht mehr getagt. Ein Jahr zuvor, in der Pulvermühle, unterschrieb eine starke Mehrheit der Gruppe noch eine Resolution gegen Springer. Seither hat sie als Gruppe auch das nicht mehr getan.

Ebenfalls in der Pulvermühle, die Gruppe war da zwanzig Jahre alt, versuchte eine Apo-Delegation in die Tagung einzudringen. Generationsprobleme offenbarten sich. Schon ein Jahr zuvor, in Princeton, hatte Peter Handke auf der Tagung seinen Ausbruch gegen manche Texte und manche Kritik.

In der Tat ist schwer vorstellbar, daß Autoren wie Brinkmann oder Chotjewitz oder Handke in ihrer heutigen Verfassung noch für eine Arbeitstagung zu vereinnahmen wären. Statt Gruppe trägt man underground, statt der Kritik von Reich-Ranicki oder Hans Mayer hört man lieber Beat.

Und schon 1964 fand Martin Walser, daß die Gruppe auch »für ernst zu nehmende Beobachter« eine »literarische Monopolgesellschaft, etwas Herrschsüchtiges, eine Dauerverschwörung, ein Markenartikel mit Preisbindung bis in die letzte Hand« geworden sei. Sein Reformvorschlag damals: »Sozialisieren wir die Gruppe 47!«

Inzwischen aber ist Hans Magnus Enzensberger, der noch brav mit der Gruppe nach Princeton fuhr, allein nach Kuba und zurück gereist. Peter Weiss, in Princeton ebenfalls noch dabei, hat inzwischen selbst dem Frankfurter Verlag der Autoren, also einem durchaus sozialistischen Verlagskollektiv, eine Absage erteilt, weil er seine Schritte in den Sozialismus nur allein tun könne. (Bei dieser Äußerung sah man ihn förmlich schreiten - es hatte, in der Imagination, etwas ungemein Gravitätisches.) Mit anderen Worten: viele, die die Gruppe trugen, sind für die Gruppe inzwischen wohl verloren.

Und es ist kaum denkbar, daß Hans Magnus Enzensberger heute noch ein so hymnisches Porträt rauher Gefährtenschaft (es klingt fast wie aus einem Zeltlager jugendbewegter Gemeinschaftsgläubiger) entwerfen könnte, wie er es 1962 tat.

»An 362 Tagen des Jahres ist die Gruppe 47 nur virtuell vorhanden, als ein Gespenst, das Günter Blöcker heimsucht.« (Der hatte, wogegen Enzensberger da polemisiert, die Gruppe 47 als eine Art Mafia angegriffen: wie man sieht kehrt alles wieder.) »Sie ist eigentlich nichts anderes als ihre eigene Tagung. Die Höhlen, die sie aufsucht, um zu existieren, sind dementsprechend provisorisch und bescheiden: verregnete Landgasthöfe mit Hirschgeweihen an den Wänden, ausgediente Jugendherbergen und altersschwache Landschulheime, deren schwarze Bretter noch von verflossenen Singkreis-Nachmittagen zu berichten wissen. In einer solchen überständigen Volkswohl-Scheune habe ich meine ersten Nachforschungen, die Natur der Gruppe 47 betreffend, angestellt. Die Bescheidenheit der Umgebung gab mir zu denken. Seit wann stieg das rein kommerziell gerichtete Managertum unserer Republik in Bruchbuden ab und löffelte Kartoffelgemüse? Der Kaffee war dünn, die Betten waren spartanisch. War das ein Kulturleben? Es war kein Kulturleben; denn wo immer Deutschlands Kulturbünde, -Kreise, -Vereine, -Kommissionen und -Verbände tagen, da bleibt kein Sektglas trocken. Es kostete mich einige Selbstüberwindung, den Kaffee auszutrinken . . .«

Das also Enzensberger 1962. Ein Strafverteidiger, der dem Kläger Blöcker als Beweisstück eine Tasse entgegenhielt. Und in der ist allzu dünner Kaffee. Auch das Bett, auf dem die Literatur noch 1962 schlief, war spartanisch - wenigstens an drei von 365 Tagen im Jahr.

Die Funktion und Aufgabe der Gruppe 47 ist immer wieder mit der Tatsache begründet und gerechtfertigt worden, daß es in Deutschland keine literarische Hauptstadt mehr gebe und also auch kein Romanisches Café mehr. Die einzelnen Autoren leben verstreut übers Land, in verschiedener Dichte verteilen sie sich über die ganze Bundesrepublik. Und wenn sie sich nicht im Radio hören oder im Fernsehen erblicken oder sich bei einer Lesereise oder bei der Buchmesse über die Füße stolpern, dann werkeln sie alle still vor sich hin, ohne Erfahrungsaustausch mit den Kollegen.

Da die Gruppe 47 nicht mühsam bürokratisch organisiert war und sich doch als kompakt erwies, da sie keine Vereinsmeierei betrieb und dennoch Zusammenhalt stiftete - übrigens auch Rivalität, Tratsch, Streit, was eben auch zur Literatur gehört - war sie so etwas wie ein zunächst zweimal, dann einmal im Jahr zusammengerufenes literarisches Berlin. Ein überdimensionales Kaffeehaus, von dem Enzensberger, wie gesagt, auch noch meinte, es halte auf Linie mit dünnem Kaffee. Den Gegnern schien der dünne Kaffee eher kalt zu sein ...

Da saß man dann, Dichter neben Dichter, und dann und wann, nein, kein weißer Elefant, wie in Rilkes *Karussell,* sondern ein Kritiker und dann und wann auch eine Dichtersgattin. Man las sich eins ums andere vor.

Grass ein Kapitel aus der Blechtrommel, Enzensberger aus einem Drama, das er danach in eine Schublade versperrte, um es nie wieder herauszutun (so kann Gutes auch im Verhindern geschehen), Peter Handke etwas aus dem *Hausierer,* Martin Walser Erzählungen aus dem Band *Ein Flugzeug über dem Haus,* und Günther Eich las und Peter Bichsel, und, und, und.

Wer sich eine Vorstellung von der Kritik machen will, wie sie auf der Gruppe 47 geübt wurde, dem sei Walsers liebevoll treffsichere Satire *Brief an einen ganz jungen Autor* zur Lektüre empfohlen.

Da heißt es über Wiederbegegnungen zwischen Dichtern: »Du mußt zusehen, wie sie einander begrüßen. Manche gehen mit ausgebreiteten Armen aufeinander zu. Laß Dich nicht täuschen.«

Aus diesem *Brief* kann man erfahren, wie Kritiker mit den Texten der Dichter, die da vorlasen, umgingen. Also Höllerer (»Er wird Dein Vorgelesenes flink tranchieren, in Schnitte, wie fürs Mikroskop, zerlegen«). Oder Walter Jens (» an Kinski oder Demosthenes wirst du denken«). Oder Joachim Kaiser (»hat den Kopf rechtzeitig in Schrägstellung gebracht ... Er findet es hübsch, das sagt er auch, weil er weiß, daß alle wissen, was er sagt, wenn er ein Wort sagt, daß er eigentlich nicht sagt«). Und Marcel Reich-Ranicki (»Und selbst wenn Reich-Ranicki etwas sagt, was er schon vor Deiner Lesung wußte, so ist es doch Deine Schuld, daß ihm das jetzt wieder einfällt ... Wisse: der Autor ist verantwortlich für das, was dem Kritiker zu ihm einfällt.«) Und schließlich Hans Mayer (». . . so beunruhigt es Dich jetzt, daß Hans Mayer Dich wie eine allzu gut bekannte alte Krankheit bespricht«).

Aber das ist ein anderes Kapitel und gehört in ein Buch, das den Titel *Deutschland, deine Kritiker* trüge.

Ich hatte in Princeton das Pech, das Zimmer mit einem jungen Lyriker teilen zu müssen, der nach seiner Lesung bei Kritikern und Kollegen ziemlich gnadenlos durchfiel. Ich versuchte ihn zu trösten. Aber seit jenem Tag war Deutschland um einen Dichter ärmer, um den es vorher allerdings auch nicht reicher war.

Die Gruppe also war eine Art Vorlektorat, eine Art Vorzensur. Diese Kritik, unter Ausschluß der Öffentlichkeit erfolgend und mit nicht allzu viel Erbarmen appliziert, konnte helfen. Vernichten sollte sie nicht, da ja nicht alles, was gut geschrieben ist, sich auch gut zum Vorlesen eignet.

Das Verfahren der Gruppe wurde natürlich dann ein bißchen fraglich, als sie schon so berühmt war, daß sie von vielen Verlegern als eine Art Warenbörse genommen werden konnte. Aber auch hier gibt es Beispiele, daß durchgefallene Autoren durchaus nicht verloren waren.

Peter O. Chotjewitz, zum Beispiel, der auf der Gruppe nie so großen Anklang fand, ist mit seinem Roman *Bärenauge* sowohl beim Rowohlt-Verlag als auch in der Gunst der Leser angekommen.

Die Nachkriegsliteratur begann mit dem, was man Kahlschlagliteratur nannte und nennt. Kahlschlag, das war die Antwort auf das Sprachdickicht und auf die Phrasentrümmerlandschaft, die der Nationalsozialismus hinterlassen hatte. Es war der Versuch, einer Stunde Null literarisch gerecht zu werden. Man zählte und registrierte die dürftige Habe. Das Mißtrauen in die Sprache, in die ihr innewohnenden Möglichkeiten ihres Mißbrauchs - das, was man inzwischen modegerechter ihre »Verschleierungsfunktionen« nennt - war durch die Einsichten gewachsen, daß die nazistische Propaganda die Sprache und die Literatur total in ihren Dienst genommen hatte.

Man begann, wie Hans Werner Richter es nannte, die »Sklavensprache zu roden«. Man wollte sich auch von den Versteckspielkünsten der sogenannten »inneren Emigration« absetzen, die gebannt auf das Weiße schielte, das sie zwischen den Zeilen hatte stehen lassen: denn dieses Weiße sollte das Alibi für einen Widerstand sein, der sich nicht artikulieren konnte und wollte.

Wolfgang Weyrauch hat den Begriff der »Kahlschläger« geprägt, die das »Dickicht« zu lichten begonnen hätten, die versuchten, die Wirklichkeit zu »röntgen«.

So notwendig diese Müllabfuhr-Bewegung war - es mag an ihren röntgenologischen Absichten liegen, daß heute die meisten Werke der Kahlschlagzeit wie Gerippe wirken. In der von Hans Bender herausgegebenen Anthologie *Mein Gedicht ist mein Messer* meinte Weyrauch, dem der »Schund aus dem lumpigen Kunstarsenal« nichts mehr bedeuten wollte, der Schriftsteller habe »die Summe des Bösen zu vermindern und die Summe des Guten zu vermehren«.

Etwas von diesem moralisch-politischen Impetus steckte in allen poli-

54

tischen Aktionen der Gruppe 47 in den Jahren, da sie die literarische Opposition zur Alleinherrschaft der CDU/CSU zu bilden versuchte. So fanden sich Autoren der Gruppe in Wahlkampf-Zeiten zu einer Anthologie von Plädoyers für eine SPD-Regierung, für eine *Alternative* zusammen. So versuchten sie bei der vorletzten Bundestagswahl die damalige Opposition durch ein »Wahlkontor« mehr mit dem Wort als mit der Tat zu unterstützen. Der von Reinhard Lettau zum zwanzigjährigen Bestehen herausgegebene Band *Die Gruppe 47* spiegelt auch diese Aktivitäten wider.

Die Auseinandersetzung mit der in der Herrschaft scheinbar auf ewige Zeiten etablierten CDU erreichte einen ersten Höhepunkt, als der damalige geschäftsführende Vorsitzende der CDU, Dufhues, die Gruppe eine »Geheime Reichsschrifttumskammer« nannte. In einer Landtagsdebatte des Parlaments von Nordrhein-Westfalen in Düsseldorf meinte der CDU-Abgeordnete Lenz, als der SPD-Abgeordnete Holthoff ausgeführt hatte, die Gruppe 47 stehe vielleicht für ein neues, besseres Deutschland: »Meine Herren, das ist leicht gesagt ... Zur Gruppe 47 gehört auch der Schriftsteller Günter Grass. Ich muß es mir leider hier versagen, aus seinem neuesten Buch *Katz und Maus* zu zitieren, weil die Würde des Hohen Hauses das verbietet.«

In *Katz und Maus,* einer Novelle von Grass, die das Ritterkreuz-Brimborium mit den Augen von Schulkindern betrachtet, treiben Knaben Knabenhaftes. Unter anderem hängen sie sich ein Ritterkreuz an ihre noch schmächtigen Gemächte.

Wenn man ein Beispiel sucht, wie verquer in Deutschland Literatur mit Politik zusammenhängt, dann liefert *Katz und Maus* dafür einen gewissermaßen anekdotischen Beleg. Denn was gegen die Würde des Hohen Hauses verstoßen hätte, wäre es zitiert worden - so streng waren vor Jahren noch die Bräuche! -, wurde verfilmt. Und in dem Film, wo Kinder die (immer noch) Heiligsten Güter der Nation wenn nicht in den Dreck zerrten, so doch mindestens vor ihrem Unterleib baumeln ließen, in diesem Film wirkte der Sohn des damaligen Oppositionsführers Willy Brandt mit.

Es läßt sich leider nicht statistisch ermitteln, wieviel Stimmen diese Verbindung von Brandt über Katz und Maus zu Grass die SPD damals gekostet hat.

Zwischendurch: Wir brauchen Ganghofer

Einen weiteren Höhepunkt erreichte die Auseinandersetzung zwischen Autoren der Gruppe 47 und der CDU-Regierung zwei Jahre später, im Wahlkampf 1965. Bundeskanzler Erhard hatte damals, offenbar gereizt durch das Eintreten vieler Autoren für die SPD, unter anderem erklärt: »Neuerdings ist es ja Mode, daß die Dichter unter die Sozialpolitiker und Sozialkritiker gegangen sind. Wenn sie das tun, dann ist das natürlich ihr gutes demokratisches Recht. Dann müssen sie sich aber auch gefallen lassen, so angesprochen zu werden, wie sie verdienen, nämlich als Banausen und als Nichtskönner ... Sie begeben sich auf die Ebene, auf die parterreste Ebene eines kleinen Parteipolitikers und wollen doch mit dem hohen Grad eines Dichters ernst genommen werden. Nein, so haben wir nicht gewettet.«

Auf die parterreste Ebene - um mit ihm selbst zu sprechen - begab sich Erhard selbst, als er über Rolf Hochhuth, der übrigens nie zur Gruppe gehörte, sagte, nachdem Hochhuth die Wirtschaftspolitik der Erhard-Regierung kritisiert hatte: »Da hört der Dichter auf, da fängt der ganz kleine Pinscher an.«

Ludwig Ganghofer im Felde unbesiegt

Martin Walser höhnte bald zurück: »Da hört der Kanzler auf, da fängt der Erhard an.«

Sicher war die Auseinandersetzung zwischen der Regierungspartei und der Gruppe 47 ein ziemlich trübes neues Kapitel über das gebrochene Verhältnis zwischen deutschen Schriftstellern und deutschen Politikern. Die CDU reagierte auf die Literaten wie Seine damalige Majestät auf Gerhart Hauptmann reagiert hatte.

Denn Dichten, so wollte es deutsche und preußische Tradition, sollte Behaglichkeit fördern, das Leben verschönen und im übrigen die Finger von der Politik lassen. Treitschke, der große Verherrlicher des preußischen Wesens Deutschlands, hat dies so beschrieben: »Ein lang entbehrtes Bewußtsein der Sicherheit verschönte den Deutschen im Reiche das Leben; ihnen war, als sei dies Preußen von der Natur bestimmt, die Friedenswerke der Nation gegen alle fremden Störer mit seinem Schild zu decken; ohne dies kräftige Gefühl bürgerlichen Behagens hätte unsere deutsche Dichtung den frohen Mut zu großem Schaffen nicht gefunden.«

Fast könnte man vermuten, daß Erhard von der gleichen Stimmung getragen war, als er seiner Enttäuschung so unmißverständlich Luft machte: Da hatte er, der große Vater bürgerlichen Behagens, eine entsprechende Stimmung geschaffen - und die bösen deutschen Schriftsteller fanden dennoch den frohen Mut zum großen Schaffen nicht. In der Tat, eine unappetitliche Entartungserscheinung.

Auch Kurt Georg Kiesinger, ursprünglich ein Schöngeist, wenn auch eine Zeitlang wenig schöngeistig mit NS-Propaganda beschäftigt, mochte die Dichter 1969 gar nicht mehr. Er klagte: »Gewiß gibt es auch in anderen Ländern ein Übergewicht einer ultralinken Literatur, aber doch bei weitem nicht in dem Umfang und in dieser erschreckenden Einseitigkeit wie bei uns.« Und er fragte bang: »Wie lange hält denn eine junge Generation eine so einseitige Berieselung aus?«

Was des braven deutschen Bürgers Dichter ist, wußte Kanzler Kiesinger genau: »Der brave deutsche Bürger, der greift dann resigniert zu seinen Lieblingsschriftstellern, und der meistgelesene deutsche Schriftsteller ist immer noch, wie ich kürzlich las, Ludwig Ganghofer.«

Ludwig Ganghofer ist der Dichter, bei dem ein sanftes Alpenglühen und Waldesrauschen die Seelen der Bergmenschen klingen läßt wie Kuhglocken. Deshalb ist an seinem Wesen auch der deutsche Heimatfilm genesen. Im ersten Weltkrieg bejubelte er die Kriegstaten des deutschen Kaisers. Karl Kraus hat ihm, in seinen »Letzten Tagen der Menschheit« eine Szene mit dem Kaiser am Janower Teich gewidmet, in der Ganghofer »jodelnd« auftritt:

Hollodriohdrioh
Jetzt bin ich an der Front,
Hollodriohdrioh,
Dös bin i schon gewohnt.
Bin ein Naturbursch, wie
Man selten einen findt,
Leider schon zu alt
Zum Soldatenkind.

Der Dialog zwischen Wilhelm dem Zweiten und seinem an die Front (ins sichere Hauptquartier, versteht sich) geeilten Dichter beginnt so:

Der Kaiser   Ja Ganghofer, sind Sie denn überall? Hören Sie mal Ganghofer, Sie sind gut!

Ganghofer   Majestät, mei Gmüat hat sich bemüat, den Siegeslauf der deutschen Heere einzuholen. Fix Laudon, dös is aber gach ganga! (Er hüpft.)

Der Kaiser (lachend)   's ist gut Ganghofer, 's ist gut. Ha - ha-ben Sie schon Mittagbrot gegessen?

Ganghofer Nein, Majestät, wer würde denn in so großer Zeit an so etwas denken?

Die CDU hatte statt Ganghofer bestenfalls William S. Schlamm. Und die Dichter, die sie fand, zeichnete sie flugs mit dem Konrad-Adenauer-Preis aus, damit an eine Tradition anknüpfend, die ansonsten durch das Jahr 1945 zu Recht unterbrochen war.

Andererseits wird man sagen müssen, daß die CDU der Gruppe indirekt viel Gutes angetan hat. Denn solange man sich gegen Angriffe à la Dufhues und Erhard zur Wehr setzen mußte, solange man sich in dem Entsetzen über die Spiegel-Affäre, über Kaltes-Kriegs-Getöne, über blinden Antikommunismus einig war, wurde auch die Tatsache überdeckt, daß die Gruppe, bald nach den Anfängen in Kahlschlaggemeinsamkeit, viel zu uneinheitlich war, viel zu sehr aus einer Ansammlung von verschiedenartigen Schriftstellern bestand, die kein »Ismus« zusammenband, als daß man sie als die geschlossene Phalanx hätte betrachten können, als die sie ihre Gegner ansahen.

Mit der Großen Koalition wurde auch die politische Gemeinsamkeit irritiert. Konnte man bisher sagen, daß die Schriftsteller »links« stünden, so mußte dieser schwammige Begriff, der einfach alles deckte, was nicht für die Adenauer- und Nach-Adenauer-Ära einer zwanzigjährigen CDU-Herrschaft war, jetzt näher bestimmt werden. Und da zeigte es sich, daß der Riß, den die Apo dem selbstgenügsamen demokratischen Selbstverständnis beigefügt hatte, auch mitten durch die Gruppe selbst ging. Zwischen Grass, der für die SPD in trotziger »Dennoch«-Haltung weiter die Blechtrommel rührte und etwa Walser, den das Schweigen der SPD zur amerikanischen Vietnam-Politik aus einem Wahlhelfer zu einem Wahlgegner machte, ließ sich keine Gemeinsamkeit mehr konstruieren. Und dies sind nur zwei Namen für viele Gegensätze, die auf einmal aufbrachen.

Enzensbergers Weg führte nach Kuba und zurück, seine Zeitschrift *Kurs-*

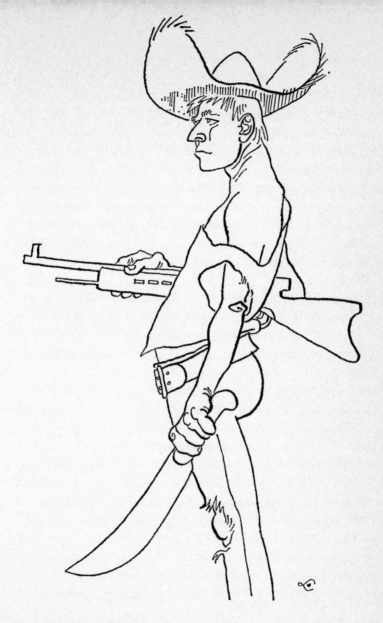

Hans Magnus Enzensberger

buch begleitete diese Abfahrt mit einer Absage an die Literatur überhaupt. Peter Weiss probte große und kleine Schritte zu einem konsequenteren Sozialismus. Walser verschrieb sich den Anti-Vietnam-Kampagnen und der Bekämpfung der Scheinlinken. Lettau und andere versuchten der Apo und dem SDS zu helfen. Wo keine CDU mehr mit dem Pinscherknüppel drohte, war es auch um die (nicht mehr notwendige) Aktionseinheit geschehen.

Und literarisch vereinte die Gruppe schon längst im Grunde Unvereinbares: Kritiker (der Verfasser nimmt sich hier selbst keineswegs aus), die längst nicht mehr für die Texte der jüngeren, jüngsten Autoren »fit« waren, Autoren, die sich nach und nach die herzliche Abneigung von Vater- und Sohn-Generationen entgegenbrachten.

Im Augenblick jedenfalls sind Deutschlands Dichter nicht mehr einfach zu gruppieren. Die Zeiten, wo fast alles, was literarisch geschah, mit der Gruppe 47 zusammenhing - und sei es auch nur dadurch, daß es sich heftig gegen die Gruppe 47 absetzte -, diese Zeiten scheinen im Augenblick vorbei.

Aber fast durch zwei Jahrzehnte war Hans Werner Richter so etwas wie ein übermächtiger deutscher Dichtervater.

Durch fast zwei Jahrzehnte waren die Tagungen der Gruppe 47 so etwas wie ein vorweg vorgelesener Querschnitt von Auszügen der wichtigsten deutschsprachigen Bücher des folgenden Bücherherbstes.

Fast zwanzig Jahre lang hörten Dichter und solche, die im Angehen zum Dichten waren (also: angehende Dichter) aufmerksam zu, wenn Hans Mayer und andere an sie die kritische Elle anlegten, die sie an Thomas Mann, Brecht oder Kafka geeicht hatten.

Und der Preis der Gruppe 47, der einzige deutsche Literaturpreis seit 45, der sich eines ungetrübten Ansehens erfreute, der einzige auch, der in geheimer Abstimmung von einer Vollversammlung ermittelt wurde

- wobei nicht verschwiegen werden soll, daß bei seinem Zustandekommen Stimmung und die Wirkung eines relativ kurzen Ausschnitts aus einem Werk zusammenwirkten -, dieser Preis wurde an folgende Schriftsteller verliehen:

1950 erhielt ihn auf der Tagung in Inzigkofen Günter Eich; 1951 in Bad Dürkheim Heinrich Böll; 1952 in Bad Niendorf Ilse Aichinger; 1953 wurde in Mainz Ingeborg Bachmann ausgezeichnet; der Holländer Andriaan Morrien war der Preisträger des Jahres 1954, als die Gruppe in Cap Circeo tagte; 1955, in Berlin, erhielt Martin Walser den Preis; der nächste Preis wurde erst wieder 1958 verliehen; er fiel an Günter Grass; der Preis der Berliner Tagung von 1962 an den inzwischen verstorbenen Ostberliner Autor Johannes Bobrowski; ebenfalls in Berlin, und zwar 1965, bekam der Schweizer Peter Bichsel den Preis; der (bisher) letzte Preisträger heißt Jürgen Becker, er wurde auf der (bisher) letzten Tagung, in der Pulvermühle 1967, gewählt.

Bedenkt man, daß der Preis die Funktion hatte, unbekannte Autoren einer größeren Öffentlichkeit bekannt zu machen und daß er - da auf den Tagungen nur unveröffentlichte Manuskripte vorgelesen werden durften - sich nur auf solche beziehen durfte, dann ist ziemlich erstaunlich, wie sehr sich die Autoren nachträglich für die »Richtigkeit« der Wahl bestätigt haben.

Der Preis hatte für die deutsche Literatur nach 1945 eine ähnliche Bedeutung, wie ihn der Kleist-Preis für die Weimarer Republik hatte.

Preisgekröntes

Es ist eine unumstößliche Tatsache, daß Shakespeare keinen Shake-speare-Preis bekommen, Kleist nie mit dem Kleist-Preis, Büchner nie mit dem Büchner-Preis und Schiller nie mit diversen Schiller-Preisen geehrt wurden.

Vielleicht spielt also bei Preisverleihungen das schlechte Gewissen eine gewisse Rolle, das der Gegenwart ersparen möchte, was die Vergan-genheit versäumte, als sie Gegenwart war: nämlich die Bedeutung ihrer Dichter richtig einzuschätzen.

Durch die Preisverleihung wird aus dem Dichter ein Preisträger. Bis vor wenigen Jahren war das eine feierliche Angelegenheit. Der Dich-ter warf sich in Schale, die Offiziösen, die ihn erwählt hatten, auch. An einem Sonntagvormittag wurde ein feierlicher Ort, eine Aula, ein Theater, eine Festhalle, mit Blumenarrangements geschmückt, zwischen denen sich, so gut es ging, oft ein Streichorchester zu verstecken hatte. Dieses bildete einen musikalischen Rahmen, der im Regelfalle aus zerstückelten klassischen oder barocken Werken bestand - ein Allegro von Mozart machte sich immer gut.

War der erste Teil dieses musikalischen Rahmens, aus dem zu fallen sich niemand traute, denn er deutete ja so etwas wie kulturelle Kontinuität an, war dieser Teil also verklungen und wagten die Erkälteten (in Deutschland gibt es immer Erkältete; sie führen ihren Husten mit Vorliebe in Konzerte, Premieren, Opernabende, aber auch, wo es weniger störend ist, zu Preisverleihungen) wieder kräftiger zu hüsteln und sich zu räuspern, dann stand ein Minister oder Landes- oder Stadtvater auf, führte seine Silberkrawatte zielstrebig zu einem Rednerpult und sprach durch die Blume, die auch das Rednerpult schmückte, die so Versammelten in der strengen Reihenfolge ihrer Ämter und Würden an. Wenn er zum Preisträger kam, bei der Anrede zu ihm kam, schlich sich ein wohlwollendes, Einverständnis heischendes Lächeln in seine Züge, die sonst ernst und gefaßt waren.

Aus der Schweiz oder aus angelsächsischen Ländern hat sich, wie ich meine, in einige Preisverleihungsreden ein sogenannter schmunzelnder, selbstironischer Humor eingeschlichen. Er lockert die mittels Streicherklang und Blumenpracht hochgestimmten Vormittagsgäste mit zwei oder drei Lachern für den Dichter auf.

Aber auch diese Schmunzelentlockungen verhindern nicht, daß die erste Rede eigentlich weniger den Dichter pries, wie sie vorgab, mehr die kulturelle Höhe des Gemeinwesens und vor allem seiner Verantwortlichen, die doch so viel für die Literatur zu tun bereit seien und denen kein heutiger Kleist, und lebte er noch so bizarr und versteckt und wäre seine Literatur auch noch so extravagant, entgehen könnte.

Der Minister war es dann auch, der dem Autor etwas überreichte, was in den meisten Fällen Ähnlichkeit mit einem Meisterbrief hatte. Ich stellte mir oft vor, wie man bei einem preisgekrönten Dichter eintreten könnte, um eine Ode zu bestellen und wie da an der Wand mehrere solcher Preisurkunden hängen müßten, auf die der Dichter stolz wie auf einen Befähigungsnachweis deuten könnte: »Hier der Hölderlin-Brief, der meine Kunst des Zeilensprunges unter Beweis stellt. Und da, zu seiner Rechten, die Urkunde zur Trakl-Medaille, die meine welt-wehe Morbidität unterstreicht. Und, bitte, übersehen Sie nicht den Förderpreis zum Goethepreis, der in aller Klarheit in den Raum stellt, daß mich das verantwortliche Gremium schon, als ich erst 45 Jahre alt war, für ein Talent erachtete, dessen bisherige Proben aufhorchen lassen.«

Denn ein Unglück und ein Literaturpreis haben etwas gemeinsam: beide kommen selten allein.

Doch zurück zur leider inzwischen fast historisch gewordenen Preis-verleihungsfeierstunde. Hier hat der Dichter, der ungelenk und im we-nig gewohnten dunklen Anzug nach vorne strebte, dabei den unab-weisbaren Eindruck erweckend, daß ihm sein weißer Hemdkragen Be-schwer bereitet, seinen Silberschlips zu dem des Ministers gewendet. Beide tauschen einen Händedruck aus, der als herzlich bezeichnet wer-den darf. Der Minister überreicht die schönere Urkunde und den we-sentlicheren Scheck. Die Leute klatschen warm bewegt.

Dann spielen die Streicher wieder etwas. Getragener als das einleitende Allegro.

Ein weiterer Bestandteil der Preisverleihung ist die mit Recht so be-nannte Laudatio. Irgendein Experte in Sachen des zu Preisenden preist ihn. Stellt Bezüge her, ordnet ein, betont gesellschaftliche Relevanzen, zieht kühne Vergleiche, zitiert, macht deutlich, was den Preisträger

Heinrich Böll

und was den Preisgeber mit dem Preisnamensgeber verbindet: »Wie jener auf dem Gebiet der Naturlyrik, so hat dieser auf dem Sektor der Satire manches heiße Eisen zum gebrochenen Tabu verwandelt. Beide haben die Form in einer Zeit hochgehalten, die im Chaos der Formlosigkeit zu ertrinken drohte. Was sie, wenn auch auf verschiedene, auf unverwechselbar eigenständige Weise anstrebten, war die Unantastbarkeit der Würde des Menschen, der bei ihnen stets im Zentrum ihres Wirkens stand und steht.«

Weitere vorherrschende Sprachfügungen der Laudatio waren: »Unsere technische Welt«, »Dem Lärm des Betriebes entzogen«, »Freiheitlich demokratische Grundordnung«, »In der Veränderung das Unveränderliche bewahren«, »Gültiger Ausdruck unserer so widersprüchlichen Zeit«.

Bei manchen Preisen mußte auch der Ausgezeichnete die ihm zugefügte Ehrung sowie das ihm zugedachte Geld mit einem Vortrag abarbeiten.

Man darf sagen, daß die meisten Preisträger diese Gelegenheit dazu benutzten, um ein vorhandenes Bild des Dichters, in dessen Namen sie geehrt wurden, zurechtzurücken (»Heine war anders«, »Goethe hätte heute, hier an diesem Ort . . .«, »Nicht die ländlichen Idylle des Wilhelm Tell, vielmehr die rauhe Unversöhnlichkeit . . .«)

Auch wuschen sie den festlich Versammelten manchmal ganz gehörig den Kopf, versuchten sie die gebannt Lauschenden ganz schön aus ihrer Selbstzufriedenheit zu rütteln - beides Tätigkeiten, die unsere Gesellschaft auf solchen Veranstaltungen ganz außerordentlich zu lieben scheint, denn dazu hat man ja schließlich die Dichter . . .

Leider ist in diesem hübschen Brauch der Preisverleihungen, wie man so unschön sagt, seit einigen Jahren der Wurm drin.

Am Fall des Bremer Literaturpreises läßt sich dieser Wurm besonders häßlich aufzeigen.

1959 erkannte die Jury den Literaturpreis der Freien Hansestadt Bremen einem Schriftsteller namens Günter Grass für seinen Roman *Die Blechtrommel* zu. Jedoch - die Landesregierung sprach Grass den Preis flugs wieder ab, weil, wie sie befürchtend begründete, die Öffentlichkeit »weite Bereiche des Inhalts nach außerkünstlerischen Gesichtspunkten kritisieren« würde.

Interessant an dieser Begründung ist, daß es außer- und innerkünstlerische, außer- und innerdichterische Gesichtspunkte gibt. Wie Ludwig Marcuse in seinem *Obszön*-Buch nachgewiesen hat, wildwechselt ein Beischlaf von Anmut und Würde zur Obszönität und zum Ärgernis über, sobald sich nicht genügend Autoritäten finden, die ihm künstlerische Gesichtspunkte zuerkennen. Außerkünstlerisch also heißt, folgt man den damaligen Bremer Stadtvätern, daß die Literatur, die Dichtung, eine genau abgepflockte Spielwiese zugewiesen bekommen soll, die zu verlassen ihr bei Aberkennungsstrafe des Preises verboten ist. Es ging auch hier um Beschwerden, die den Bremern der literarische Unterleib der Blechtrommel bereitete, also das, was Klein-Oskar oder Klein-Tulla so treiben, wenn sie keine ganz artigen Kinder sind.

Und wie die Bremer Regierung meinte, war das so arg, daß es nicht mehr mit den üblichen (siehe oben) Bemerkungen von mutiger Tabuknackerei, von heldenhaften Handgriffen nach dem heißen Eisen, von der Furchtlosigkeit, der Zeit in ihre Abgründe zu blicken, zum Literaturpreis-Frieden und zur Streicherklang-Festlichkeit hätte eingefangen werden können.

Grass rächte sich ein Jahr später, indem er den Annehmer des nächsten Bremer Preises als in seiner Schuld stehend bezeichnete.

1969 schließlich war der Wurm, der im Bremer Holze seit dieser Zeit bohrte, mit seiner Arbeit zu einem Ende gekommen. Christian Enzensberger, dem der Preis für seinen *Größeren Versuch über den Schmutz* zugesprochen wurde, verweigerte kurzerhand die Annahme.

69

Das war der bisher konsequenteste Schritt in einer fortgesetzten Farce von Preisverleihungsakten. Da man das ganze Preisbrimborium, die Kompetenz mancher Stifter, die Lauterkeit ihrer Absichten in den letzten Jahren immer gründlicher anzweifelte, hatten es nämlich die Dichter schwer, richtig auf das Unglück zu reagieren, das mit einer drohenden Preiskrönung auf sie zukam wie ein Schreckensbote im antiken Drama.

Nahmen sie ihn schlicht an, dann drohte die Apo. Sie mußten dann fürchten, nicht nur als Wilhelm-Raabe-Preisträger etikettiert zu werden, sondern gleichzeitig als mit dem Establishment im Frieden Lebender, als parasitärer Nutznießer eines literarischen Betriebes, der die wahren Zustände lediglich verschleiert und damit perpetuiert ... na, Sie wissen schon.

Und so entwickelten Deutschlands junge Dichter einen Formenkodex, einen Knigge von Zwar-Aber-Handlungen, die es ihnen einerseits gestatteten, in den oft bitter nötigen Genuß des finanziellen und renomméfördernden Nutzens des Preises zu kommen, andererseits sie in die glückliche Lage versetzten, die Annahme als Verweigerung darzustellen.

Als Möglichkeiten boten sich an:

Die Preisverleihungsfeier mit einem Kopfstand zu überstehen.

Die Frau des Festredners während der Laudatio gewaltsam von ihren Kleidern zu befreien.

Den in der ersten Reihe Sitzenden den Schlips abzuschneiden oder sie mit lila Tinte zu übergießen.

In den Dank mehrmals das Wort »Scheiße« unterzubringen.

Die persönliche Entgegennahme verweigern.

Das Geld denjenigen zuzuführen, wenigstens teilweise, die den Auszeichnern der stärkste Dorn im Auge sind.

Gefesselt aufzutreten.

Sich mit denen zu solidarisieren, die die Feier wirksam umzufunktionieren trachten.

Es ist schon so, traurig aber wahr: an nichts mehr, was die Literatur und die Dichter so wirklich würdig und nachvollziehbar macht, darf der Bürger seinen Spaß haben. Alles wird ihm verdorben. O Zeiten, o Dichter!

Einen ganz besonderen Kompromiß fand dennoch Wolf Wondratschek: ganz unfeierlich und unter freundlicher Ausladung des Herrn Bundespräsidenten nahm er Preis und Geld. Vielleicht wollte Didi, die laut Wolf immer will, anders als Wolf wohl wollte.

Rollenverteilung: Vom Blechtrommler zum Poeta Patriae

Günter Grass kann man sich vorstellen: Schnauzer, Augenschnitt und Kinnpartie, der dicht-dunkle Haarwuchs, das gebremste, durch Singsang gemilderte Stakkato seiner Sprache, die leicht untersetzte Gestalt, seine Anzüge, denen man nie das Attribut »bürgerlich« verweigern könnte - das alles hat dazu geführt, daß man mit Grass ein Adjektiv assoziiert, das eigentlich nur noch auf Grass bezogen wird, das Adjektiv »kaschubisch«. (Man muß sich vor Augen halten, wie rar solche fest an bestimmte Objekte gebundenen Eigenschaftswörter in unserer Sprache sind: »blond« etwa, das man nur im Zusammenhang mit Haar gebrauchen kann, während »schwarz« ja für Haar, Kohle, Seele gelten kann; und eben »kaschubisch«, ein Wort, das man losgelöst von Grass eigentlich nicht mehr verwendet.)

72

Günter Grass

Als 1959 ein »Wälzer« namens *Die Blechtrommel* den zunächst zögernden Deutschen annoncierte, sie hätten neben ihren wirtschaftlichen Exportartikeln nun auch einen Roman, den man exportieren könne wie den VW oder die Leica, da waren, in den Rezensionen, auch mit einem Schlage alle Attribute da, mit denen Grass seit der Zeit herumlaufen muß: »Der Blechtrommler schrieb seine Memoiren«, hieß es da, »Oskar, der Trommler kennt kein Tabu«, »Trommelexzesse als Literatur«, »der kaschubische Trommler«.

Wie sehr Grass selbst diese Trademark zuweilen aufnimmt, »zitiert«, geht aus seinem bisher jüngsten Roman, *Örtlich betäubt,* hervor, wenn da, mitten in einem Roman, der im Berlin der Apo und im Nachkriegsrheinland der Zementfabriken und Vergangenheitsbewältiger spielt, eine Reise in die Grass'sche Vergangenheit unternommen wird, auf daß wenigstens einmal jener breite Danziger Dialekt hörbar werden kann, den Grass in die deutsche Literatur eingeführt hat wie Reuter das Platt und Ludwig Thoma das Filserische.

Die Blechtrommel also brachte Grass Ruhm und das, was man auf gut Neuhochdeutsch das »unverwechselbare Image« nennt: es besteht immer noch aus selbstgedrehten Zigaretten, aus Liebe zur Kochkunst, kurz: aus einer ganzen Portion bürgerlicher Festigkeit - Grass, ein Berliner aus Danzig, Dich sing ich Es Pe De ... Die Vorliebe für das Solide, für das Praktikable - Grass ist, zoologisch gesprochen, der wohl beste Futterverwerter der Gegenwartsliteratur -, diese Vorliebe speist sich aus der Jugendanarchie, die bei Grass unheimlich präsent und unheimlich verdaulich ist.

Zwischendurch: Dichter über Dichter

Was seine Vorliebe für die Küche und deren Gaben und für die literarische Verwertung der Küchendünste anlangt, so hat Reinhard Lettau dem großen Kollegen darüber ein spöttisches Gedicht mit der Überschrift *Erlebnis und Dichtung* dediziert:

> *Wer*
> *kommt nach Hause mit einem Schweinekopf,*
> *den er neben die Staffelei legt, vor die er sich stellt,*
> *um ihn zu malen,*
> *trägt ihn dann in die Küche, kocht und*
> *ißt ihn später im Wohnzimmer, nachdem er*

am Schreibtisch ein Gedicht über ihn gemacht hat, wer
erhebt sich mit dem Skelett und
malt es im gleichen Format?

Ein Kollege, mitten in seiner
klassischen Periode.

Aus dieser einfachen Überlegung: daß
alles gelingt, d. h.
alles fertig wird, d. h.
alles verwendbar ist,
entsteht Klassik

Dies
ist ein klassisches Gedicht.

Was diesem Spott, der sich auch gegen einen Günter Grass in den Läu-
terungsjahren wendet, zugrunde liegt, ist ein Grass-Gedicht aus dem
Bande *Ausgefragt,* mit dem Titel *Schweinekopfsülze.* Darin heißt es,
rezeptgleich: »Man nehme: einen halben Schweinekopf / samt Ohr und
Fettbacke / lasse die halbierte Schnauze, den Ohrenansatz, / die Hirn-
schale und das Jochbein anhacken . . .« Auch ein Gedicht über »Mehr
Obst essen« enthält der gleiche Band.
Lettau übrigens, der Grass als klassischen »Erlebnis«-Dichter feierte,
kann sich seinerseits mehr oder minder über ein Kurzporträt freuen,
das Grass in *Örtlich betäubt* von ihm skizziert hat. Lettau ist da Gast-
geber einer linken Party. Und als Starusch, der zahnwunde Studienrat
und das Roman-Ich des Autors, seine Schülerin Vero fragt, wem wohl
die Wohnung gehöre, in der sich links an links drängt, heißt es:
»Sie zeigte auf einen, der sich ein überseeisches Lächeln eingeübt hatte

und sein Glücklichsein in jeder Richtung vermittelte, obgleich seine abstehenden Ohren laut, weil im Gedränge immer wieder angeknickt, nach einer leeren Wohnung verlangten.«

Nein, fein und freundlich gehen die Herren Dichter miteinander nicht mehr um, wenn sie sich wechselseitig auf die Versfüße treten. Aber schon Goethe und Schiller waren die »Xenien«, zweizeilige Gedichte, die - das klingt komplizierter, als es ist - aus einem Hexameter und einem Pentameter bestehen, also sechs- und fünffüßig sind, recht, um Kollegen madig zu machen.

Über Gedichte von Stolberg meinten die beiden: »Jambe nennt man das Tier mit einem kurzen und langen Fuß, und so nennst du mit Recht Jamben das hinkende Werk.«

Noch böser erging es einem in Halle philosophierenden Schriftsteller namens Jakob, dem unter der Überschrift »J-b« gesagt wurde:

»Steil wohl ist er, der Weg zur Wahrheit, und schlüpfrig zu steigen,
Aber wir legen ihn doch nicht gern auf Eseln zurück.«

Was Heinrich Heine von der Madame de Staël hielt, jener Dame also, der wir das Kompliment vom Land der Dichter und Denker verdanken, geht aus den folgenden Anmerkungen hervor: »Frau von Staël - Schweizerin. Die Schweizer haben Gefühle so erhaben wie ihre Berge, aber ihre Ansichten der Gesellschaft sind so eng wie ihre Täler ... Deutschland war für sie ... das Geistesland - sie schildert uns, als hätten wir keine Leiber, beständen aus lauter Metaphysik und Moral - als seien wir Ossianische Geister - ihr Deutschland ist ein spiritualistisches Nebelchen, sie hat das Volk nicht gesehn, sondern nur dünne Gelehrte -«

Man sieht: in den Ruf, ein dichtendes und denkendes Land zu sein, sind wir gekommen, weil eine Frau statt dicker Normalmenschen nur dünne Gelehrte heimsuchte.

Um aber zum Kollegenhohn zurückzukehren - so beschreibt Heine den Lenau, den er doch immerhin ein bißchen schätzte: »In dieser Not begingen die Schwaben einen wahren Schwabenstreich, sie nahmen nämlich zu Mitgliedern ihrer schwäbischen Schule einen Ungar und einen Kaschuben. Ersterer, der Ungar, nennt sich Nikolaus Lenau und ist, seit der Juliusrevolution, durch seine liberalen Bestrebungen, auch durch den anpreisenden Eifer meines Freundes Laube, zu einer Renommee gekommen, die er bis zu einem gewissen Grade verdient. Die Ungarn haben jedenfalls viel dadurch verloren, daß ihr Landsmann Lenau unter die Schwaben gegangen ist; indessen, solange sie ihren Tokayer behalten, können sie sich über diesen Verlust trösten.«

Das ist eine Auseinandersetzung mit einer Gruppe 47, Sparte Schwaben, von Anno damals. Und siehe da, auch die hatte schon einen Kaschuben. Er hieß übrigens Wolfgang Menzel und kann Grass in Puncto Ruhm keinesfalls das Danziger Goldwasser reichen.

Und da wir gerade bei Freundlichkeiten von Dichtern über Dichter sind - so äußerte sich Robert Musil, nicht als Mann ohne Eigenschaften, sondern in seiner Eigenschaft als Theaterkritiker über Gerhart Hauptmann: »Wenn dort (bei Hauptmann) in einem Herrn Maier das Menschliche gezeigt wird, ist es das Maierische im Menschen.«

Bert Brecht ist mit andern Dichtern noch deutlicher umgesprungen.

So mit Rilke:

»In einigen seiner Gedichte kommt Gott vor. Ich richte Ihre Aufmerksamkeit darauf, daß Rilkes Ausdruck, wenn er sich mit Gott befaßt, absolut schwul ist. Niemand, dem dies je auffiel, kann je wieder eine Zeile dieser Verse ohne ein entstellendes Grinsen lesen.«

Und mit Stefan George:

»Seine Ansichten scheinen mir belanglos und zufällig, lediglich originell. Er hat wohl einen Haufen von Büchern in sich hineingelesen, die nur gut eingebunden sind, und mit Leuten verkehrt, die von Renten leben. So bietet er den Anblick eines Müßiggängers, statt den vielleicht erstrebten eines Schauenden. Die Säule, die sich dieser Heilige ausgesucht hat,

Dichterkollegen

ist mit zuviel Schlauheit ausgesucht, sie steht an einer zu volkreichen Stelle, sie bietet einen zu malerischen Anblick . . .«

Am schlimmsten jedoch mit Gottfried Benn:

»Dieser Schleim legt Wert darauf, mindestens eine halbe Million Jahre alt zu sein. Während dieser Zeit ist er immer von neuem geworden, mehrmals vergangen, leider immer wieder geworden. Ein Schleim von höchstem Adel.« Das, übrigens, bezieht sich vorwiegend auf ein Gedicht, in dem Benn mit einem »Oh« seinem Wunsch Ausdruck verlieh, daß wir wieder Urschleim sein sollten. In der Tat ein seltsamer Wunsch und sonderbarer Fall von Zivilisationsmüdigkeit.

Daß Brecht auch loben konnte, schon damals, 1928, geht aus seinem Stück »Geziemendes über Franz Kafka« hervor, das in folgenden Sätzen endet: »Zu ihrer Ehre muß gesagt werden, daß die Zeit ziemlich unumwunden zugibt, daß sie nichts für Erscheinungen wie Kafka ist. Alle Versuche, ihn für einen der Ihrigen zu erklären, müßte dem Geschmeiß diesseits und jenseits des gemeinsamen Feuilletonstriches eventuell auch mit Mitteln verleidet werden, die in ihrer Zweckdienlichkeit vielleicht nur früheren barbarischen Zeiten geläufig waren. Ich würde im Bedarfsfall vor völliger Existenzvernichtung keinen Augenblick zurückschrekken.«

Nach diesem Einschub darüber, was Dichter von Dichtern halten (und von Zeitungen) kehren wir zu Grass zurück.

Als Grass begann - und obwohl er vorher wunderbar kräftige Gedichte veröffentlicht hatte, begann er eben für die Öffentlichkeit erst mit der *Blechtrommel* zu existieren -, war er der Tabuknacker, der einen frechen Knirps Obszönes und Anarchisches in seine Kindertrommel hauen läßt. Jahre darauf war er, wie Horst Krüger es formulierte, das »Wappentier der Republik«. Das Merkwürdigste dabei ist, daß sich Grass für diesen Läuterungsprozeß gar nicht so sehr ändern mußte: das Anarchische und das Republikanische, das Frühreif-Moralinfreie

80

und das solid Hausväterliche schienen nur zwei Seiten ein und derselben Sache zu sein.

Horst Krüger hat dieses Erscheinungsbild des Unverwandelbaren einmal so gezeichnet: »Grass kam, schüttelte viele Hände. Er sah wieder genau so aus, wie alle Welt sich Grass vorstellt. Man ist immer wieder verblüfft darüber. Andere verändern sich oft, sehen einmal jünger, dann gealtert, einmal frisch, ein andermal ziemlich erschöpft aus. Man denke nur an die vielen Gesichter, die etwa Böll, Enzensberger oder Adorno haben: Kindergesichter, Schalkgesichter, traurig, ironisch, manchmal auch zornig. Grass - das ist die perfekte Identität von Individualität und Image. Ein Reklamebild, das immer stimmt. Er sieht tatsächlich so aus, wie ihn die Massenmedien reproduzieren. Sehr individuell, etwas fremdartig, und in beidem ungemein einprägsam, wie ein Wappentier. Fast hat er etwas von der Ausgereiftheit eines hervorragenden Markenartikels . . .«

Wie es kommt, daß Günter Grass zu dem Schriftsteller wurde, der die Bundesrepublik repräsentiert, jedenfalls in ihrer zweiten Phase? Es liegt sicher auch an einem Wort, das wir Deutschen im Zusammenhang mit ihren Dichtern gern aussprechen: Angaschemang. Daß einer, dessen beide ersten Romane (Blechtrommel, Hundejahre), dessen Novelle (Katz und Maus), dessen absurde Einakter (Noch zehn Minuten bis Buffalo, Hochwasser, Die bösen Köche) den Eindruck vermitteln mußten, hier sei Ungebärdiges, gesellschaftlich Unzähmbares am Werk, die Sache einer großen Partei zu der seinen machte - das bedeutete einen Versöhnungsvorgang zwischen Öffentlichkeit und Literatur, der das Gefälle mit feierte, welches er überbrückte. Da hatte einer alle geheimen, auch lustvollen Ängste von der »Zersetzung« geweckt - und dann bot er sich zur konstruktiven Kleinarbeit an: kein Wunder, daß so ernsthafte Leute wie Golo Mann dafür plädierten, aus Grass den Berliner Bürgermeister zu machen.

In dem Maße wie Gerhart Hauptmann oder Thomas Mann - je nach Couleur - die Gallionsfigur der ersten deutschen Republik waren, in dem Maße ist es Günter Grass für die zweite Republik - mit dem Vorzug, daß die Risse zwischen Konservativ und Liberal viel kleiner geworden sind. Mit dem Nachteil, daß dadurch ein Schriftsteller, der sich aufs Vermitteln gelegt hat, von den (noch) nicht Integrierten rechts liegen gelassen wird.

So wird an keinem anderen Schriftsteller so deutlich, daß es zwischen den Generationen der deutschen Dichter eine kaum zu überbrückende Kluft gibt. Grass, noch vor zehn Jahren vor allem ein Stein des Anstoßes beim damaligen Bürgertum, ist jetzt eher ein solcher für die ganz Jungen.

Grass selbst hat diese Rolle in seinen beiden letzten Bühnenstücken (Die Plebejer proben den Aufstand, Davor) und in seinem letzten Roman (Örtlich betäubt) reflektiert, wenn er einmal versuchte, die politische Verantwortung und die ästhetische Flucht des Schriftstellers am Verhalten Brechts während des 17. Juni darzustellen (Plebejer); und zum anderen die schwierige Rolle des Lehrers gegenüber seinen von der Wohlstandsgesellschaft angewiderten Schülern auch als die seine durchzuspielen suchte.

So erscheint der Autor, der einst einen bösen Infantilismus in die deutsche Literatur einführte, was (neben seiner überbordenden explosiven Sprachwut) die Kritiker dazu veranlaßte, seit der Blechtrommel Grimmelshausen und seinen *Simplizissimus* als Vergleichsmomente für Grass herbeizuhieven, heute in eine Ärmel-hoch-Krempeln und Ebenmal-mit-Anfassen-Rolle hineingewachsen, die ihn überall da erscheinen läßt, wo in seinen Augen Not am Mann ist. Nachdem man nach dem Wahlsieg der von ihm auch durch das schwärzeste Bayern besungenen SPD schon im Entwicklungshilfeministerium erblicken wollte, nachdem manche schon den Grass aus den Reden des Kanzlers Brandt wachsen hören wollten, hat er sich - wieder einmal ein ganz anderer und doch der gleiche - in die Frankfurter Theaterbresche geworfen. Dort unterstützt er Ulrich Erfurth und Richard Münch im Frankfurter Theater, nachdem diese eine Mitbestimmungsgefahr von links, wenn auch nicht erfolgreich, so doch immerhin vorübergehend abgewehrt haben.

Wie die beiden ersten Romane, so beginnt auch die Vita von Grass in Danzig. Der 1927 geborene Grass war von 1944 bis 1945 Soldat, kam in amerikanische Gefangenschaft, aus der er sechsundvierzig entlassen wurde. Als Landarbeiter war er im Rheinland tätig, ferner in einem Kalibergwerk und als Jazzmusiker. Nach einer Steinmetzlehre besuchte er die Bildhauer- und Malerklasse der Kunstakademie Düsseldorf. Wer Spuren seiner malerischen Tätigkeit erblicken will, braucht sich nur die Schutzumschläge seiner Romane anzusehen: sie sind Eigenentwürfe von Grass.

Wenn hier ein paar Daten von seinem Leben angeführt wurden, dann nicht, um einer Literaturgeschichte auf hoffnungslose Weise Konkurrenz machen zu wollen, sondern um mit ein paar Stichworten anzudeuten, wie sehr sich bei Grass eigene Erfahrungen als Elemente in seine Romane einzementiert haben: Die Vogelscheuchen im Kalibergwerk, oder die Düsseldorfer Bars, die, in der Satire festgehalten, seine Erfahrungen als Jazzmusiker verarbeiten.

Und wenn Studienrat Starusch, der Held des bisher jüngsten Grass-Romans sich vom Zahnarzt seine Gebißlage schildern läßt - eine Lage, die als »Distalbiß« gekennzeichnet den Eindruck des als energisch geglaubten Kinns hervorruft, dann vermeint man auch in dieser Charakterisierung Grassens vorgewölbtes Kinn wiederzuerkennen. Und Berliner Freunde sind sogar bereit, einem den Zahnarzt zu zeigen, der Modell für den Seneca-Zitate um sich werfenden »Dokter« liefert - seine Praxis ließe sich also aufsuchen.

Trotzdem hat natürlich Grass recht, wenn er sich dagegen wehrt, mit seiner Hauptgestalt in *Örtlich betäubt* ständig identifiziert zu werden. Aber es ist ein altes Leiden, von dem Dichter bedroht sind, daß man aus ihrem Werk neugierig ihre geheimere Biographie herauszupulen trachtet: »In dem Gretchen hat Goethe seine Schuld an Friederike . . .« oder so ähnlich.

Natürlich kann man Bücher von Dichtern auch dazu benutzen, des Autors geheime Biografie in ihnen aufzuspüren, sie mittels ihrer Werke sozusagen posthum auf die Psychiatercouch zu legen. Brechts Gedicht »Vom Kind, das sich nicht waschen wollte« wurde so benutzt; was Brecht seinerseits aus Rilkes Gedichten rauslesen konnte, haben wir schon zitiert. Aber diese auf Biografien gerichtete Neugier führt im Endeffekt zu jenem berühmt-komischen Satz des »Hier irrt Goethe«, wenn Generationen von Professoren auf dem Papier des Olympiers Liebeserlebnisse nachturnten.

Günter Grass

Skrupel und Boden: Martin Walser und die Dichter aus der Provinz

Dem gleichen Jahrgang wie Grass entstammt auch Martin Walser. Aber alles, was an Grassens Herkunft kaschubisch ist, müßte bei Walser alemannisch genannt werden. Denn er stammt aus Wasserburg am Bodensee, lebt bis heute am Bodensee, wenn auch nicht mehr in Wasserburg, und das Philippsburg seines ersten Romans liegt zwar nicht, wie Danzig, auf einer realen Landkarte, es läßt sich aber unschwer in das ganz und gar reale Stuttgart zurück »übersetzen«, wo Walser Funkredakteur war, bevor er davon leben konnte, nur Autor zu sein.

1964, also in dem Jahr, da seine *Lügengeschichten* erschienen, antwortete Walser auf die Frage nach seinen Anregern, nach seinen Vorbildern: »Als ich zwanzig war, glaubte ich nur an Kafka. Mit siebenundzwanzig interessierte mich Proust. Mit dreißig hatte ich Spaß an Joyce. Allmählich versuche ich, selbst Einfluß zu nehmen auf meine ›Werke‹.« Man könnte ergänzend noch Swift nennen und Robert Walser, schließlich Brecht (was das Theater angeht). Und man müßte dann erwähnen, daß wir dem Umstand, daß Walser seine Literatur auch und vor allem literarisch herzuleiten weiß und sucht, einige der schönsten Autoren-Essays der neueren deutschen Literatur verdanken.

Auf die Frage, im gleichen Fragebogen, wie er seine Werke schreibe, antwortete Walser handschriftlich, daß er sie handschriftlich verfasse. Übrigens: auch Grass benutzt das gleiche altväterliche Schreibutensil. In seinem Haus, im oberen Stockwerk, kann er über eine kleine Treppe auf eine Art Arbeitsempore entsteigen. Und noch eine Gemeinsamkeit: beide Autoren darf man sich häufig genug von Kindern umspielt vorstellen. Bei einem Funkinterview mit Grass erlebte ich, wie sein Sohn im gleichen Raum Cowboys und Indianer gegeneinander zu Felde ziehen ließ.

Walser wie Grass haben also eine deutliche »Provinz«-Herkunft. Das ist nicht als Werturteil gemeint, sondern umschreibt wohl auch ziemlich typisch, wo deutsche Literatur vorkommt und daß das sogenannte Hochdeutsche eine Erfindung jener Phonetiklehre ist, nach der deutsche Schauspieler und Rundfunksprecher (»Sause süßer Südwind«, »Trritt dorrt die Türre durrch«, »Rrate mirr mehrrerre Rrätsel nurr rrichtig«) so sprechen lernen, wie eigentlich niemand spricht.

Wem diese Herkunft der deutschen Literatur aus bestimmten Landschaften als ein Zug heutigen Provinzialismus vorkommt, der sollte 'sich daran erinnern, daß der *Faust*-Reim »Neige/ Du Schmerzensreiche« sich nur so erklären läßt, daß Goethe eben Frankfurter war, wo man ja bis heute »Neiche« sagt. Und Schiller, der »Menschen« auf »wünschen« zu reimen trachtete, bewies damit, daß wenigstens im schwäbischen Dialekt das Wort Menschen ein Reimwort finden kann, was ihm im Hochdeutschen leider verwehrt ist. Der gleiche Schiller entsetzte eine Gönnerin, als er ihr ein neues Drama vorlas und sie es für fürchterlich hielt. Als Schiller schon schlief, schlich sie sich an das liegengebliebene Manuskript - las es nun selbst und fand es wunderbar. Das machte: Schiller hatte es im Dialekt vorgetragen. Wer je die Brecht-Platte gehört hat, auf der seine Aussagen vor dem Ausschuß für nicht-amerikanische Umtriebe festgehalten sind, der kann - abgesehen davon, daß er eine der übelsten Perioden des Kalten Kriegs dokumentarisch kennenlernt - gerührt merken, daß noch Bertolt Brechts Englisch unverwechselbar vom Augsburger Dialekt bestimmt ist.

Und so wie Grass nicht ohne seine Danziger Herkunft Grass wäre, so ist Böll ohne Köln nicht denkbar. In einem Gespräch über seinen damals neuen Roman *Ansichten eines Clowns* erzählte er einem Kollegen, sein neues Buch spiele diesmal auf einem völlig neuen Schauplatz, nicht mehr in Köln. Der völlig neue Schauplatz war - Bonn. Völlig neu liegt also 25 km entfernt und ist mit einer Vorortbahn zu erreichen. Daß Uwe Johnson nach Mecklenburg gehört, ist nach jeder Zeile seiner Bücher ebenso einsichtig, wie daß Hubert Fichte Hamburg zuzuordnen ist. Und auch die Herkunft von Siegfried Lenz würde man, etwa nach der Lektüre der *Deutschstunde,* wohl kaum südlich des Mains vermuten.

Doch zurück zu Walser.

Wie Martin Walser vor rund zehn Jahren aussah und wirkte, wissen wir vor allem durch Hans Magnus Enzensberger, der einige freundschaftlich-verstörte Bemerkungen über Walser riskierte, die mit dem Halbsatz begannen: »Martin Walser geht auf keine Kuhhaut.«

Die für mich treffendste Kennzeichnung in diesem Freundes-Dienst: »alte alemannische Mischung mit einem Schuß Madison Avenue.« Wie es bei Grass verblüfft, daß die chaotisch-anarchischen Eruptionen seiner beiden großen Romane durchaus in einer festumrissenen Bürgergestalt Platz hatten, so macht bei Walser erstaunen, wie einer, den eine schmerzhafte Ironie immer wieder zu bösen Momentaufnahmen psychischer Risse und gesellschaftlicher Falsifikate treibt, einen wirklich nur im Südwesten anzutreffenden Hang zu Hausmannskost, zu Solidität, zu bäuerischer Erdverbundenheit hat. (In der Unterführung vom Stuttgarter Hauptbahnhof sah ich ihn einmal beim Fingerhakeln mit einem gewiß nicht zart befingerten Arbeiter: Walser »siegte«.)

Der gleiche Autor, der Lokale aufsucht, in denen es gestandene Milch oder handgemachte Spätzle gibt, kann sich in einen Party-Löwen (sagt man das noch oder klingt das nach der guten alten Tanzstunde?) verwandeln, der mit Whisky-Gläsern, Zuhörerinnen-Herzen und vor allem mit der Sprache jongliert, als wäre er ein nur zufällig hochgebildeter wortgewaltiger Rennfahrer.

Enzenbergers Erzählung von der Walser-Erzählung von einem Teppichhändler ist so bekannt, daß sie hier getrost zitiert werden kann (Doubletten muß man einfach riskieren):

»Ich habe Martin Walser einen ganzen Abend lang von einem Teppichhändler erzählen hören, der ihn heimsuchte und zum Kauf einer völlig wertlosen westfälischen Perserbrücke verführt hatte. Versammelt hatten sich an jenem Abend im Hause eines Verlegers zwei, drei Dutzend bürgerlicher und literarischer Honoratioren. Die Konversation, bei Salzstangen und Mosel, bewegte sich stockend im engsten Kreise. Ein ergrauter Professor, weithin bekannt durch seine Kennerschaft, war es, der, ganz obenhin, einen Satz fallen ließ, in dem das Wort Teppich vorkam. Walser nahm das Stichwort auf. Er begann ganz langsam und ruhig zu sprechen. Mit ein paar Handbewegungen war der Hausierer skizziert. Walser erhob sich und spielte die Verführungsszene vor. Einigen Damen fielen die Salzstangen aus der Hand. Walser

89

bewegte sich wie in einer Manege, eine leichte Trance lag über seiner Gestik. Er war er selbst, der Käufer, dann wieder der Teppichhändler. In dem großen Zimmer war es still geworden, alle lauschten Walsers Solo. Er arbeitete mit äußerster Konzentration, das Publikum hatte er vergessen. Er sprach fließend, ohne innezuhalten, eher in Gefahr, von der Menge seiner Einfälle, der Flut unentbehrlicher Details überwältigt zu werden, als in der des Stockens. Er sprach nahezu zwei Stunden lang, ohne daß ihn jemand unterbrochen hätte; es war ein absolut sendereifes Hörspiel, was er lieferte, getragen von einer hemmungslosen Erinnerungs- und Erfindungskraft, vorgebracht mit der Artistik eines erstklassigen Jongleurs, von einem riskanten Humor, der ein Looping nach dem andern schlug, erfüllt von der leicht verzweifelten Munterkeit eines Kindes, das nicht ins Bett gehen will.«

Die Geschichte, die Enzensberger da festgehalten hat, ist in mehrfacher Hinsicht ein Schlüssel für den Schriftsteller Martin Walser. Zunächst: ähnliche Verkaufssituationen kommen in Walsers Romanen vor, ähnliche Parties auch. Der Roman *Halbzeit* hat einen Vertreter zum Helden, einen, der anderen etwas verkaufen will und muß. Im *Einhorn* bremst die Frau des Helden einen Autoverkäufer, der ähnlich vorgehen möchte wie der Teppichhändler. Walser, der der Artistik eines raffinierten Käufers im Fall des Teppichs erlegen ist, ihm hilflos ausgeliefert war, lieferte andererseits die Zuhörer ebenso für Stunden seiner Geschichte aus. Die Skrupel, die Walser hat, lassen sich auch so ausdrücken, daß er die Rolle des Schriftstellers als die des Vertreters sieht. Eine der unheimlichsten, satirisch zugespitztesten Passagen des Einhorns handelt von einer Rundreise des Ich-Erzählers zu Podiumsdiskussionen. Verkürzt ausgedrückt, hält sie den Selbstekel desjenigen fest, der durch Betrieb und Broterwerbsnotwendigkeit dazu veranlaßt wird, an einem großen Wortteppichverkauf beteiligt zu sein.

90

Gruppe 47

Fast alles, was Walser geschrieben hat, ist gleichzeitig überbordend vor Fülle der Einfälle, vor Bildern, die andere aus sich herausschießen lassen, vor Vergleichen, die ihr Ziel immer wieder einkreisen. Und gebremst von Skrupeln, Hemmungen, Einschränkungen und Einsichten, die allesamt auf die vertrackte Rolle des Schriftstellers in unserer Gesellschaft zielen.

Mit anderen Worten: Walser hat gespürt, daß noch die härteste Gesellschaftskritik, die schonungsloseste »Entlarvung« der Gesellschaft nur zu ihrer Selbstbestätigung, dem Schriftsteller nur zur Eingliederung in die Gesellschaft führt. Er ist sich der Don-Quijoterie bewußt, die unsere Gegenwart dem Schriftstellerberuf aufgeladen hat. In der *Halbzeit* heißt es dazu bezeichnend - was sich durchaus auf Walser selbst anwenden läßt: »Ich bin Don Quijote, nachdem er gelesen hat, was Cervantes über ihn schrieb.«

Das heißt: Skrupel und Einsichten haben - und es doch nicht lassen können.

Walser ist erfolgreicher als jedes einzelne seiner Bücher, Stücke. Und seine Bücher haben sich auch dann nachdrücklich behauptet, wenn ihnen die Kritik halb die Luft abgewürgt hatte. Wie man jungenhaft und grauhaarig, wie man über- und schwermütig in einem sein kann, das haben seine Bücher, das hat seine Person einem erstaunten Publikum immer wieder vorexerziert. Gesellig und einzelgängerisch, sportiv und behaglich, ängstlich vor jedem kalten Luftzug und rücksichtslos gegen seine Person - Walser läßt sich nur in oxymorischen (auf deutsch: einander im Gegenteil ausschließenden) Begriffen, wenn überhaupt, beschreiben.

Bei Robert Neumann, nein, nicht in den Parodien, sondern im Tagebuch des Jahres 1967, nimmt sich Walser so aus: »Bei der Fernsehdiskussion später: gut Martin Walser. Ich hatte ihn nur einmal zuvor getroffen, vor ein paar Jahren in Hamburg, da machten er und Enzensberger im Chor mir heftige Vorwürfe wegen meines Verrisses der *Roten* von Andersch - damals funktionierte die Solidarität der 47-er noch ohne Betriebsunfälle. Heute gehört Walser dort nicht mehr recht dazu. Ich hätte ihn nicht wiedererkannt. Ein massiver Süddeutscher, klug, geradeaus und symphatisch, streitfreudig intellektuell, einer, der naiv-herzlicherweise noch an den Sinn literarischer Diskussionen glaubt - stahlharte Auseinandersetzungen, die da zwischen ihm und Reich-Ranicki vor sich gehn . . .«

Was das naiv-herzlicherweise Glauben an den Sinn von Podiumsdiskussionen betrifft, so hatte Robert Neumann damals offensichtlich das *Einhorn* noch nicht gelesen.

Und noch ein Neumann-Zitat, ein paar Tage vorher, das zeigt, was Tagebucheintragungen alles so festhalten und wie das so mit dem Glauben an Podiumsdiskussionen ist:

»Telefon, Frankfurter Fernsehen, Vorschlag, Podiumsgespräch mit Leonhardt, Walser, Baumgart, Reich-Ranicki. Angenommen.«

Punkt. Schluß. Wer wissen will, was das war, das Podiumsdiskussionsfieber, der Hauptreisevorwand für Dichter und Redakteure, der sei noch einmal nachdrücklich auf die Podiumsdiskussions-Passage im *Einhorn* hingewiesen. Leider verbietet dieses Kapitel jeden Versuch einer Nachahmung, so daß hier der Verweis an die Stelle der Schilderung treten muß.

93   Manchmal fragt man sich ein wenig bestürzt, angesichts der Diskus-

sionswut, die unsere Dichter befallen mußte, weil sie die Nation auf diese Weise subventioniert, um sie immer wieder in gleichen Streitkonstellationen zu allen Fragen der Kultur vorgeführt zu bekommen - also manchmal fragt man sich, was die Dichter eigentlich früher getan haben.

Sicher ist: Goethe hätte nicht nach Italien fliehen können. Der Hofsender Weimar und der Heimatsender Frankfurt hätten ihn für zu viele Podiumsdiskussionen vorgemerkt. Und in *Dichtung und Wahrheit* wäre nachzulesen: »Reitender Bote. Frankfurter Reichsstadt-Diskussionsrunde. Vorschlag Diskussionsleitung bei Gespräch mit Zelter, Eckermann, dem jungen Kleist. Trotz Kleist - angenommen.«

Da es aber nicht so zuging, genügt ein Blick auf das Bücherregal, auf die langen Mauern von Klassikerreihen. Das macht - sie hatten keine Diskussionsverpflichtungen.

Vom Ruhm und Paß deutscher Dichter

Im April 1969 veröffentlichte die *Zeit* eine Meldung, daß die Stadt Graz dem jungen Autor Peter Handke ein Institut einrichten wolle, ein »Peter-Handke-Institut«. Bald darauf erschien in einer großen Wiener Zeitung ein Kommentar zu dieser Meldung. Man hätte ja nichts gegen Handke, im Gegenteil. Aber ein Institut für einen so jungen Dichter - das sei denn wohl doch übertrieben . . .
Bei der Meldung in der *Zeit* hatte es sich um einen Aprilscherz gehandelt. Er sollte durch Übertreibung verdeutlichen, wie sehr der 1942 in Kärnten geborene Autor in aller Munde, wie sehr er en vogue war. Handke war es offensichtlich so sehr, daß manche sogar geneigt waren, noch der Übertreibung Glauben zu schenken.

Im Jahr 1969 war der Zustand so, daß sich viele mokierten, wie sehr Handke im Gespräch sei - und sie mokierten sich vorwiegend in langen Artikeln, die Handke ins Gespräch brachten. Die Zeitschrift *konkret,* die damals ihre Werbung gegen das *Zeit*-Feuilleton richten wollte, pries sich mit einem Inserat, auf dem zu lesen stand: »Wir bringen nichts über Handke.« Und brachte damit mehr über Handke, als wenn sie viel gebracht hätte. Aber so ist das mit dem Kulturbetrieb, wenn er sich nicht Schopenhauers Erkenntnis vor Augen hält, daß die Presse nur eine wirkliche Macht hätte, nämlich die, zu verschweigen.

Seit Handke in Princeton bei der Gruppe 47-Tagung gegen die vorgelegten Texte und gegen die an sie angelegten Maßstäbe gewettert hatte, wurde er nie mehr verschwiegen. Immer wieder wurde in den Zeitungen und Zeitschriften artig oder abfällig seine »Beatle«-Mähne erwähnt, der »Zarte Beatle aus Graz« hieß eine der rasch in Umlauf gesetzten Kennzeichnungen. Handke leistete der Öffentlichkeit die *Publikumsbeschimpfung,* die sie damals offenbar haben wollte. Ein Autor, der die Auswirkungen von Öffentlichkeit, falschem Bewußtsein, vorgeschütztem Betrieb schmerzhaft in der verbrauchten Sprache, in ihren Normierungen und Verfälschungen aufspürte, geriet genau mit diesem Akt in das Getriebe, in das er doch hatte Sand streuen wollen.

Deutschland hatte einen Dichter - aus Österreich importiert, das in den letzten Jahren der deutschen Literatur neben Handke noch Oswald Wiener (*Die Verbesserung von Mitteleuropa),* den Lyriker Gerhard Rühm, h. c. artmann und Wolfgang Bauer lieferte. Der haßliebende Überdruß der Wiener und Grazer Autoren an ihrem Österreich und die Vorliebe deutscher Leser für die Erben Wittgensteins und Konrad Bayers wirkten da zusammen.

Und noch etwas: die österreichischen Literaten, die die heimatliche Muffigkeit und Selbstgefälligkeit zu heftigen Bürgerschreckeskapaden

Peter Handke

getrieben hatte, lieferten der Literatur in Deutschland jenen Ruch von Bohème, den sie so lange vermißt hatte. So kann Verständnis und Mißverständnis zusammenwirken - was dabei herauskommt, ist nicht selten eine literarische Richtung, eine Mode des Kulturbetriebs. Man trägt also wieder Wien.

Insofern bedarf es keiner Rechtfertigung durch das Robert-Neumann-Buch *Deutschland, deine Österreicher,* wenn man unter Deutschlands Dichtern Namen wie Handke, artmann oder Bauer erwähnt. Es war ja auch eine Zeitlang so, daß die beiden deutschen Dramatiker Schweizer waren: Dürrenmatt und Frisch sprangen in die Lücke, die der Schrecken über Brechts Stücke im Bewußtsein der nachfolgenden deutschen Dramatiker offengelassen hatte. Im Austausch dazu lebten deutsche Dichter, die etwas auf sich hielten, in der Schweiz.

Mittels Reisepaß also läßt sich nicht bestimmen, wer ein »deutscher Dichter« ist. Nicht nur daß ein deutscher Dichter in der DDR oder in der Bundesrepublik leben kann, er kann auch aus der Schweiz stammen oder in der Schweiz leben. Er kann aus Wien oder aus Graz sein.

Es gibt deutsche Dichter, die von der Bundesrepublik in die DDR ausgewandert sind, wie der Dramatiker Peter Hacks oder der Villon-Nachfahre Wolf Biermann. Es gibt Autoren, die andersherum aus der DDR ausgewandert sind, wie Heinar Kipphardt. Und es gibt den DDR-Dramatiker Hartmut Lange, der sich selbst als in der Westberliner Emigration lebend versteht.

Wollte man übertreiben, dann könnte man sagen, daß Hacks von München nach Ostberlin zog, auf daß seine Stücke jetzt eigentlich nur noch in der Bundesrepublik aufgeführt werden. Daß Hartmut Lange nach Westberlin zog, führte dazu, daß sein Stück *Herakles,* Anfang 1970, nicht in Frankfurt aufgeführt werden konnte. Denn: in Frankfurt sollte es zusammen mit einem Stück von Heiner Müller, der in

Ostberlin lebt und (daher) nur in der Bundesrepublik aufgeführt wird, gespielt werden. Das aber konnte Müller nicht erlauben. Und so wurde Lange in Frankfurt nicht aufgeführt, weil Müller nicht mehr in Frankfurt hätte aufgeführt werden können, der da, wo er lebt, ohnehin nicht aufgeführt wird, weshalb Lange, der auch da lebte, wo er nicht aufgeführt wurde, nicht mehr da lebt.

So kompliziert ist das mit Dichtern in Deutschland. Und eine Zeitlang, als Brecht noch lebte - man schrieb die Zeiten des kalten Kriegs - gab es in der Bundesrepublik das beliebte Gesellschaftsspiel, daß man Brecht immer dann vom Spielplan absetzte, wenn »die da drüben« wieder etwas getan hatten, was »uns hier hüben« ärgerte. Dieses Absetzspiel mit Brechts Stücken erwies sich bald als ein Rückzugsgefecht, an dem sich schließlich nur noch kleinere Gemeinden und südlich fromme Städte beteiligten.

Zunächst jedoch schien sich die Stadt Augsburg förmlich zu schämen, daß sie den Bertolt Brecht zu ihren Söhnen zählen mußte.

Überhaupt gibt es in Deutschland immer einige Verzögerungseffekte, bis sich Gemeinden entschließen, an dem Geburtshaus eines Dichters das Schild anzubringen, das ihn endgültig in das Walhall der Klassizität nagelt und zementiert. Und auch das ist meist nicht endgültig - wenn man sich vor Augen hält, daß Heinrich Heine nicht nur zu Lebzeiten in der Emigration lebte, sondern auch während der Nazizeit so sehr totgeschwiegen werden sollte, daß man seine Loreley, die einfach zu bekannt war, um totgeschwiegen werden zu können, zum Volkslied umzustilisieren trachtete: »Dichter unbekannt« hieß es in einschlägigen Lesebüchern.

Einteilung der Dichter

Bei Kierkegaard findet sich die folgende Berufsaufgliederung der
Menschheit: »Ein witziger Kopf hat gesagt«, so schreibt Kierkegaard,
»man könne die Menschheit einteilen in Offiziere, Dienstmädchen und
Schornsteinfeger. Diese Bemerkung ist meines Dafürhaltens nicht bloß
witzig, sondern zugleich tiefsinnig, und es gehört ein großes spekulati-
ves Talent dazu, eine bessere Einteilung zu geben.«
Wenn Kierkegaard recht hat - wozu gehören dann die Dichter? Sind
sie Schornsteinfeger im Rauchfang der Sprache? Oder Dienstmädchen,
die in unserem Gemüt Staub wischen, die der Seele das passende Ka-
ter-Frühstück servieren, unsere Kinder an die Hand nehmen, um sie
auf Versfüßen das Spazierengehen zu lehren? Oder sind sie Offiziere,

die harte Wortbataillone aufmarschieren lassen, die mit der Sprache Nachexerzieren üben, sie durch einen Roman robben lassen, sie im Drama ins Manöver führen oder im Gedicht in wohlgeordneten Viererreihen antreten lassen?

Sicher ist nur, daß die Dichter ihrerseits früher wiederum in drei Gattungen einteilbar waren: in Dramatiker, in Lyriker und in Epiker oder Erzähler.

Von allen dreien existierte eine relativ fest umrissene Vorstellung. Getreu der Einteilung von Kierkegaards »witzigem Kopf« wäre der Lyriker am ehesten das »Dienstmädchen«: weich und nachgiebig, und vor allem für der Seele Nahrung sorgend. Der Dramatiker wäre der Offizier, der uns schneidend auf dem Theater vorführt, zu welch höherem Zwecke wir eigentlich auf der Welt sind, der uns unsre Schuld zeigt und uns in »Furcht und Mitleid« versetzt, um uns zur »Reinigung«, auch Katharsis genannt, zu führen. Für den Erzähler bliebe dann der Schornstein - und wahr ist, daß viele große Romane anfangs als schmutzig verschrieen waren, wo es ihre Verfasser doch nur auf sich nahmen, reinigend wirken zu wollen.

Viele Dichter waren alles in einem: sie strömten lyrisch, dialogisierten dramatisch, hatten zugleich breite, epische Fülle. Aber wenn es wahr ist, daß Kleist ein ebenso großer Erzähler wie Dramatiker war, so läßt sich doch auch an seinen Novellen vor allem ihre dramatische Anlage ablesen. Und Gerhart Hauptmann wäre wegen seiner Erzählungen wohl kaum zu Weltruhm gelangt wie, umgekehrt, Grass trotz und wegen seiner Dramen vor allem als Erzähler und Lyriker gelten muß.

Fragt man heute nach Gedichten, nach dem Stand der Lyrik, so erhält man zumeist die lyrische Antwort, daß das Gedicht tot sei. Ebenso ist es mit dem Roman; auch er gilt als tot, als mausetot. Und das Drama? Bestenfalls etwas für »Opas Theater«, erhält man zur Antwort. Also auch tot.

Angesichts so vieler Leichen nimmt es nicht wunder, daß im letzten Jahr auch die Kritik, mit der Literatur ohnehin parasitär verbunden, dahinstarb. Jedenfalls war in Enzensbergers *Kursbuch* ihre Todesanzeige zu lesen.

Dennoch erscheinen Jahr für Jahr Romane, Gedichtbände, Dramensammlungen, die Bühnen führen wacker »urauf« und die Rezensenten reagieren süß bis sauer. Für Tote ein ganz munteres Scheinleben. Eine, zugegeben, unseriöse Antwort auf die Frage nach den lebendigen Toten liefert jener Toilettenwanddialog, wo untereinander zu lesen ist:

> »Gott ist tot« (Nietzsche)
> »Nietzsche ist tot« (Gott)

Das will sagen, daß diese Art von Tod auch etwas mit Annoncierung und mit Rache zu tun hat. Ernsthafter könnte man sagen, daß jede Literatur ihre Entstehung aus einer Krise von Literatur herleitet: insofern sind große Dichter auch immer große Totengräber.

Dichter als Repertoire

Was er mit seinen Stücken wollte, hat der Dramatiker Nestroy dem Dichter-Helden eines seiner Stücke *(Weder Lorbeerbaum noch Bettelstab)* mit entwaffnender Offenheit in den Mund gelegt: »Bis zum Lorbeer versteig ich mich nicht. G'fallen sollen meine Sachen, unterhalten, lachen sollen d' Leut, und mir soll die G'schicht a Geld tragen, daß ich auch lach', das ist der ganze Zweck.«

102

Wer heute so argumentierte, würde ein verächtliches Naserümpfen bekommen, da die meisten Zuschauer denken, so, wie hier Nestroy, also einer der größten deutschsprachigen Dramenschreiber, argumentiert, würde nur in der seichtesten Kinobranche argumentiert, wenn es um die hohen Zwecke der Kunst gehe.

Sicher ist Nestroys lapidare Auskunft (die Leute sollen lachen, damit es mir ein Geld bringt, und ich auch lachen kann) in diesem Stück auch als Parodie auf das hohe Pathos der Vorlage gemeint: Nestroy persiflierte mit seiner Posse Karl von Holteis Rührstück in drei Akten: *Lorbeerbaum und Bettelstab oder: Drei Winter eines deutschen Dichters.*

Dennoch meinte es Nestroy auch durchaus ernst, und daß er wußte, wovon er sprach, geht aus dem seufzenden Lied einer geplagten Dichtersfrau hervor, die daran erinnert, daß man von Lorbeer allein nicht einmal Suppen kochen kann:

> *A Dichterfrau hat nur Malör,*
> *Es is gar nit zum sag'n,*
> *Als wie dreihundert Schnecken schwer*
> *Liegt's Dichten mir im Mag'n.*
> *Kredit hab'n d' Dichter, das is g'wiß,*
> *Das tut sich üb'rall zeig'n*
> *Sag' i, daß mein Mann a Dichter is,*
> *Kein' Kreuzer krieg' i z' leig'n.*
>
> *Neuli geh' i mit ihm ins Gasthaus h'nein,*
> *Man sitzt nicht stets gern z'Haus,*
> *Merkt der Wirt, das könnt' a Dichter sein,*
> *Sagt er glei: »Sie, zahl'n S' voraus!«*
> *Stuck schreibt der Mann, doch trag'n S' nix ein,*

Das is a z'widre G'schicht,
Sie g'fall'n ihm selber ungemein,
Den Leuten aber nicht.

Da hört sich das Dichterlos anders an als in Schillers einst vielzitiertem Gedicht *Die Teilung der Erde,* wo Zeus, nachdem er die Erde aufgeteilt hat, auf die Forderung des Dichters die zum geflügelten Wort avancierte Frage »Was tun?« stellt - und den Dichter zur Entschädigung zu sich in den Himmel einlädt:
»Willst du in meinem Himmel mit mir leben -
So oft du kommst, er soll dir offen sein.«
Eine großzügige Einladung, deren Kehrseite eben leider die von Nestroy zum Singen gebrachte Dichtersfrau ist.
Zeitgemäßer ausgedrückt beschrieb Nestroy den Dichter »marktkonformer« als sein erlauchter Dramatikerkollege Schiller. Und er konnte das auch deshalb tun, weil in seinem Wiener Volkstheater zwischen Publikum und Fortschritt keine Kluft war: das, was gefiel, war auch das Neue; populär und avantgardistisch, gefällig und gefährlich fielen da auf eine seltene und glückliche Weise zusammen.
Wir dagegen haben heute das Subventionstheater. Kein Land hat so viele Theater wie Deutschland. Marktkonform ausgedrückt hat England deshalb auch so viele begabte Dramatiker.
Heute nennt sich ein Dramatiker auch nicht mehr Dramatiker, sondern - Brechts Bescheidenheit nacheifernd - Stückeschreiber. Den Dramatiker lernt die staunende Öffentlichkeit meist bei der Uraufführung kennen. Am Schluß, wenn alles sich verbeugt, stehen unter den Kostümierten auch drei Unvermummte, wenn man dunkle Anzüge nicht für eine Vermummung hält. Der Schüchternste von den dreien darf im Regelfall als der Autor angesehen werden. Die anderen beiden, der Ergänzung wegen sei es gesagt, sind der Regisseur und der Bühnen-

Zeus' Reue

bildner. Sie fassen den Autor meist aufmunternd-herzbewegend bei der Hand. Das hat er auch nötig. Denn meist setzt jetzt das ein, was zu einer Uraufführung gehört wie die Tantiemen. Die Leute buhen den Autor an. Manche Autoren reagieren darauf trotzig, andere machen verzeihenheischende Gebärden, als wollten sie sagen: »Ich bin doch auch nicht schuld, das Theater hat mir das Stück, wider meinen Willen, aus den Händen gerissen.«

Carl Sternheim, dessen Komödien den wilhelminischen Spießer ziemlich unverblümt angriffen und herausforderten, durfte das Buh zwar mehrmals selbst, aber einmal leider nur aus der Ferne genießen. Als den Wienern eines seiner Stücke nicht gefiel, sie es mit einem Theaterskandal beendeten, telegrafierte Sternheim, daß er den Wienern zu ihrem Durchfall vor seinem Stück gratuliere.

Ich glaube, auch zeitgenössische Autoren fühlen sich mißverstanden, wenn sie angebuht werden.

Doch ist das ganz so einfach nicht. Seit Anprangerung und Entlarvung der Gesellschaft, die sich im Theater in ihren Spitzen blicken läßt, zu den vornehmsten Pflichten der Dramatiker gehört, müßten sie über ein Pfeif- und Buhkonzert eher entzückt, über einen reinen runden Erfolg bleich entsetzt sein.

Denn das ist das Problem, vor dem der heutige dramatische Dichter in fürchterlicher Einsamkeit steht. Einerseits möchte er doch schon noch, wie Nestroy, den Leuten gefallen, andererseits möchte er gerade den Leuten nicht gefallen. Was tun, spricht Zeus . . .

Im übrigen ist nicht jeder dunkel angezogene Mann, der sich im Schlußbeifall verbeugt, unbedingt der Dichter. Auch dann nicht, wenn er weder der Regisseur noch der Bühnenbildner ist. Als sich in Stuttgart, bei der Premiere der *Perser,* unter den antikisch Verkleideten Regisseur und Bühnenbildner zeigten, fragte eine Dame hinter mir ihren

Gatten, wer denn jetzt das sei. »Der Regisseur«, antwortete der Mann gewandt. »Nein, der andere?« insistierte die Frau. »Wahrscheinlich der Dichter«, meinte darauf der Mann. Ich darf hier feierlich erklären, daß Aischylos auch der Stuttgarter Wiederaufführung des ältesten Stücks der europäischen Theatergeschichte in Wahrheit ferngeblieben war.

Die toten Dichter bilden das, was man am Theater das Repertoire nennt. Sie werden da nach verschiedenen Gesichtspunkten ausgewählt. Gesichtspunkt Nummer 1: Wir haben schon vier Jahre keinen Kleist mehr gehabt, meint dann der Intendant. Er sorgt damit für den ausgewogenen Spielplan. Er sorgt für die Schulen, er sorgt für die Tradition.
Einer der ersten Intendanten, die sich um Kleist bemühten, war der Weimarer Intendant, Johann Wolfgang von Goethe. Ein Kollege also. Was ihm offenbar an dem Stück nicht gefiel, war, daß es keine Pause hatte. Also bearbeitete er es so, daß es auf einmal eine Pause hatte. Bearbeitet fiel das Stück eklatant durch. Goethe war über Kleist verärgert, Kleist über Goethe. Die beiden haben einander wenig Freundliches nachgesagt. In einem Epigramm meinte Kleist über »Herrn von Goethe«:

Siehe, das nenn ich doch würdig, fürwahr, sich im Alter beschäftigen!
Er zerlegt jetzt den Strahl, den seine Jugend sonst warf.

Wer da meint, Generationsprobleme zwischen Dichtern seien eine Erfindung, die unseren Zeitläuften vorbehalten sei, der kann sich hier rasch eines besseren belehren lassen.
Doch führt uns der Fall Goethe-Kleist zu dem zweiten Gesichtspunkt, nach dem das Repertoire mit Goethe und Kleist geschmückt wird.

Gemeint sind, Gesichtspunkt Nummer 2, die Wünsche nach Bearbeitung. Dabei geht es nicht mehr nur um »Pausen«, wie sie Goethe dem *Zerbrochenen Krug* antat. Pausen verstehen sich, sieht man von Antikischem ab, inzwischen von selbst. Ein junger Autor, der sein Stück pausenlos ablieferte, würde nicht der Kritik, wohl aber den Restaurationsbetrieben seines Theaters zum Opfer fallen. Wann sollen die ihren Sekt verkaufen und die Brötchen?

Nein, es geht darum, daß ein Theatermann dem Klassiker eine neue Sicht angedeihen lassen will. Von der Kritik wurde zu diesen Versuchen lange behauptet, der Dichter habe sich im Grabe umgedreht (Steigerung: er habe daselbst zu rotieren begonnen). Kritiker stellen sich gern schützend vor tote Dichter. Vielleicht zum Ausgleich für ihren Umgang mit den Lebenden. Irgendwo muß man ja auch sein positives Vokabular loswerden und anbringen. Aber es ist schon merkwürdig: während das Publikum und die Kritik bei lebendigen Dichtern selten in Angst ist, sie durch Buhgeschrei, durch harsche Worte in Resignation und Verzweiflung zu treiben, ist man mit toten Autoren so behutsam, daß man sich Sorgen über die Veränderung ihrer Sarglagen macht. Heine hatte recht, als er das lateinische Sprichtwort »De mortuiis nil nisi bene« so übersetzte, daß man also über Lebendige nur Schlechtes reden solle.

Wenn mir hier eine Abschweifung nach England erlaubt ist, also zu Shakespeare, so hat dort ein dortiger Kollege eine sinnvolle Funktion des Sich-Im-Grabe-Herumdrehens entdeckt. Nach einer besonders verunglückten Shakespeare-Aufführung meinte er, der Streit, ob Shakespeare seine Stücke wirklich selbst geschrieben habe, sei nun zu entscheiden. Man müßte jetzt nur rasch das Grab öffnen. Falls Shakespeare unverändert da liege, sei er nicht der Autor. Denn der müßte sich heftig umgedreht haben.

Weitere Gesichtspunkte, warum Klassiker ins Repertoire kommen: 108

Frau X möchte noch einmal (wie sie schwört, zum letzten Mal) das Gretchen spielen. Der Dichter feiert ein Jubiläum. Der Regisseur möchte gerade das Stück inszenieren. Der Spielplan hat noch zwei bis drei Lücken.

Lebendig hat man es schwerer, ins Repertoire zu kommen. Schiller, inzwischen längst eine unverrückbare Säule des Repertoires, bot dem Mannheimer Intendanten seine *Kabale und Liebe* (damals noch *Louise Millerin*) an wie sauer Bier:

»E. E. (Euer Ehren) scheinen ungeachtet meines kürzlich mißlungenen Versuchs noch einiges Zutrauen zu meiner dramatischen Feder zu haben. Ich wünschte nichts, als solches zu verdienen, weil ich mich aber der Gefahr, ihre Erwartung zu hintergehen, nicht neuerdings aussetzen möchte, so nehme ich mir die Freiheit, einiges von dem Stücke (Louise Millerin) vorauszusagen.«

»Außer der Vielfältigkeit der Charaktere und der Verwicklung der Handlung, der vielleicht allzufreien Satyre, und Verspottung einer vornehmen Narren- und Schurkenart hat dieses Trauerspiel auch diesen Mangel, daß Komisches mit Tragischem, Laune mit Schrecken wechselt, und, ob schon die Entwicklung tragisch genug ist, doch einige lustige Charaktere und Situationen hervorragen.«

So sieht ein Evergreen in den Augen eines Dichters aus, bevor er ein Evergreen geworden ist.

Aus der Mannheimer Zeit Schillers ist uns im übrigen überliefert, wie Schiller dichtete und was er tat, wenn Zeus ihn aus dem Himmel zurück zur Erde geschickt hatte:

Schiller hatte damals viel Umgang mit Schauspielern, die sich alle bei dem Schauspielerehepaar Müller versammelten. Waren die anderen Gäste gegangen, dann bat Schiller mehrmals noch um »Wein, Kaffee, Tinte und Papier«. Dann schrieb er die Nacht hindurch an seiner *Kabale und Liebe*: »Müller fand ihn dann gewöhnlich des Morgens in seinem Zimmer auf einem Lehnsessel, in einer Art Starrkrampf, so daß er ihn wirklich einmal für tot hielt. Die Gattin des Schauspielers Beck fragte ihn einst: ob ihm nicht die Gedanken ausgingen, wenn er so die Nacht dichte? - »Das ischt nicht anders«, antwortete Schiller, der damals noch ganz den breiten schwäbischen Dialekt sprach; »aber schauns, wenn die Gedanken ausgehen, da mal ich Rössel.«

Nicht nur vom Rössermalen wissen wir, es ist auch überliefert, was Deutschlands größter Dramatiker (so jedenfalls im Bewußtsein der Nation) zu der Zeit aß. An seine Freundin, die Frau von Wolzogen, schrieb er: »In einem Weck wird mein Frühstück bestehen, um 12 g. habe ich aus einem hiesigen Wirtshaus ein Mittagessen zu vier Schüsseln, wovon ich noch auf den Abend aufheben kann. Notabene ich habe mir einen zinnernen Einsatz gekauft. Abends esse ich allenfalls Kartoffeln in Salz oder ein Ei oder so etwas zu einer Bouteille Bier.«

Während dieser Zeit vollendete er die *Kabale,* konzipierte den *Fiesco* und den *Don Carlos.* Soll man Möchtegern-Dramatikern aus diesem Grund zu dieser Punkte-Diät plus Bier raten?

Die Zeit, in der das geschah, nennt man im deutschen Drama den »Sturm und Drang«. Ihm sind eigentlich nur Goethe und Schiller zur Klassizität entkommen. Wagner und Lenz und Klinger - sie wurden auf das Konto gescheiterte Existenzen gebucht und erst unser Jahrhundert (Brecht und seine Schüler) haben bemerkt, wie stark die dramatischen Begabungen der Stürmer und Dränger waren - und wie wenig durch das gebändigt, was die Weimarer Klassik mit dem deutschen Drama angerichtet hat.

Deutschlands heutige Dramatiker heißen Peter Hacks und Heinar Kipphardt, Peter Weiss und Peter Handke, Martin Sperr und Martin Walser, Hartmut Lange und Tankred Dorst, Rolf Hochhuth. Die Generation des nachbrechtschen Theaters vertreten Friedrich Dürrenmatt

Friedrich von Schiller

und Max Frisch, Fritz Hochwälder und Günter Weisenborn. Aus den zwanziger Jahren gibt es noch Carl Zuckmayer und Fritz von Unruh.

Das Nachkriegstheater begann 1947 mit der Hamburger Uraufführung von Wolfgang Borcherts *Draußen vor der Tür*. Was der Kahlschlag in der deutschen Prosa, das war dieses Stück für die deutsche Dramatik. Die Heimkehrer- und Vergangenheitsbewältigungsthematik war damit für das deutsche Nachkriegsdrama inauguriert. Einen Tag vor der Uraufführung war der Dichter verstorben, an den Folgen des Krieges verstorben, die er in diesem Stück in einem (nach)expressionistischen Aufschrei auf die Bühne brachte.

Wie der Erfolg des deutschen Romans mit der *Blechtrommel* international wurde, so haben Peter Weiss und Rolf Hochhuth dem nachbrechtschen deutschen Theater internationale Aufmerksamkeit verschafft. Hochhuths *Stellvertreter* ist seit seiner Uraufführung im Jahr 1963 in sechzehn Sprachen übersetzt und in zweiundzwanzig Ländern aufgeführt worden. In Deutschland läßt sich übrigens nach den Orten, die den *Stellvertreter* nicht spielten, so ziemlich genau eine konfessionelle Landkarte anfertigen. Ihre weißen Stellen wären die schwarzen Gebiete, das heißt Gebiete mit vorwiegend katholischer Bevölkerung.

Ein Jahr später errang Peter Weiss mit der Uraufführung seines Marat/Sade-Dramas (glücklicherweise kann man das Stück mit dem ellenlangen Titel seit seiner englischen Aufführung so zitieren) internationale Beachtung. Bereits ein Jahr später wurde das Stück von New Yorker Theaterkritikern als »bestes Stück der Spielzeit 1965/66« ausgezeichnet.

Als Peter Weiss die erste Fassung des *Marat/Sade* schrieb, war er immerhin schon siebenundvierzig Jahre. Dieser Satz könnte ein pur blödsinniger Satz sein, wüßte man nicht, gewissermaßen statistisch, daß der Beruf des Dramatikers als Jugendberuf gilt. Anders als die Erzähler, die oft Spätentwickler sein können, haben Dramatiker große und erfolgreiche Würfe früh - oder überhaupt nicht.

Also: Kleist plante die *Penthesilea* mit 23 Jahren, schrieb den *Zerbrochenen Krug* mit fünfundzwanzig. Büchner starb fünfundzwanzigjährig, den *Danton* schrieb er mit zweiundzwanzig Jahren. Der 1801 geborene Christian Dietrich Grabbe schickte mit fünfzehn Jahren der Göschenschen Verlagsbuchhandlung in Leipzig ein dramatisches Werk mit dem Titel *Theodora*, erhielt es allerdings mit abschlägigem Bescheid zurück; mit einundzwanzig Jahren hat Grabbe sein heute noch gespieltes Lustspiel *Scherz, Satire, Ironie und tiefere Bedeutung* beendet. Mit achtzehn Jahren schrieb Goethe sein erstes erfolgreiches Lustspiel, die *Laune des Verliebten*, mit zwanzig vollendete er die *Mitschuldigen*, mit sechsundzwanzig hatte er den *Urfaust* fertig, alles also, was an *Faust* Drama im eigentlichen Sinn ist; den *Goetz von Berlichingen*, den er in einer Nacht, unter Genuß einiger Bouteillen Weines sich shakespearisch vom Leibe schrieb, mit einundzwanzig Jahren. Zweiundzwanzig Jahre alt war Schiller, als seine *Räuber* erschienen, Gerhart Hauptmann war achtundzwanzig Jahre, als sein *Vor Sonnenaufgang* in Berlin uraufgeführt wurde. Noch keine zwanzig Jahre alt war Lessing, als er seine ersten weltanschaulichen Stücke, *Die Juden,* und den *Freigeist* schrieb. Mit dreißig schrieb Frank Wedekind seine *Lulu,* seine ersten dramatischen Versuche, zum Beispiel *Eine Szene aus dem Orient,* die sich immerhin zu acht Akten auswuchs, verfaßte er mit dreizehn Jahren. Seine *Judith* hatte Friedrich Hebbel mit siebenundzwanzig Jahren abgeschlossen. Der siebzehnjährige Grillparzer schrieb sein erstes Drama, die *Blanka von Kastilien*. Mit einundzwanzig bereits versuchte sich Nestroy als Dramatiker *(Prinz Friedrich von Corsica)*, obwohl er doch zu dieser Zeit nur an seine geplante Laufbahn als Sänger dachte und im gleichen Jahr erfolgreich als Sarastro in Mozarts *Zauberflöte* debütierte. Den Gewinn des Dramatikers Nestroy verdanken wir also einer verlorenen Stimme.

Brecht vollendete mit zwanzig Jahren die erste Fassung des *Baal*, ein Stück, das ein Geniewurf ist, wie es die *Räuber* sind und das bei heutiger Ansicht in der poetischen Unbedingtheit den *Räubern* auch gar nicht so unähnlich ist - eine Feststellung, die sich Brecht, der als junger Augsburger Theaterkritiker von *Don Carlos* etwas naserümpfend meinte, er sei »eine schöne Oper«, sicher verbeten hätte. Fünfundzwanzig Jahre alt war Friedrich Dürrenmatt, als er das Stück *Es steht geschrieben* beendete. Max Frisch war etwas »später« dran. Da zuerst eigentlich eher geneigt, den gewählten Architektenberuf auch auszuüben (Kunde davon gibt ein Zürcher Freibad), wurde sein Stück *Nun singen sie wieder* »erst« aufgeführt, als Frisch »schon« fünfunddreißig war.

Dagegen war, um nur ein Beispiel zu geben, Fontane bereits hochbejahrt, als er seinen ersten großen Roman schrieb. Das Dramenschreiben scheint etwas zu sein, was nach jugendlichem Schwung verlangt, um es in der Sprache heutiger Werbetexter zu sagen. Späterfolge wie die von Peter Weiss also, sind die Ausnahme und nicht die Regel.

Auch scheint es nicht selten so zu sein, daß das dramatische Talent mit steigendem Alter abnimmt. Namen als Belege sollen hier lieber nicht genannt werden.

Eine Lieblingsbeschäftigung der Kritik und der Theater bis vor wenigen Jahren war die Suche nach dem »DDD«, wie Walser es einmal

Martin Sperr

spöttisch bezeichnet hatte. Die Suche also nach »*dem* deutschen Dramatiker«. Dieser Suche verdanken wir eine ganze Reihe von Stücken, die glücklicherweise wieder der Vergessenheit anheimgefallen sind - denn jeder wollte es werden oder sein. Später, nachdem Hochhuth die kirchliche Welt (und nicht nur die) mit seinem *Stellvertreter* durcheinandergewirbelt hatte - das gleiche sollte ihm bald darauf noch einmal mit den *Soldaten* glücken, wo die nur schwer erregbare britische Öffentlichkeit nach der Londoner Aufführung in heftige Bewegung geriet, weil da Churchill einiges unschöne nachgesagt wurde -, schrieb man Dokumentartheater. Hochhuths Stücke - soviel ist sicher - halten zumindest die Historiker in Atem, die Detektiven gleich auf seinen Spuren Indizien zur Ent- und Belastung der von Hochhuth auf die Bühne bemühten historischen Persönlichkeiten suchten, fanden, prüften, verwarfen und bestätigten. Und wie das bei richtigen Kriminalgeschichten ist: einige Akten liegen noch wohlverwahrt in geheimen Panzerschränken. Noch ist alles offen.

Dokumentarisch ging Heinar Kipphardt vor. Und Peter Weiss. Und viele, viele andere.

Der 1944 in Niederbayern geborene Martin Sperr, der sich in Wiesbaden als Gelegenheitsarbeiter durchschlug, reichte - er war damals zweiundzwanzig - dem Suhrkamp-Verlag ein Manuskript ein, das der zuständige Lektor mit immer größerer Verwunderung las. Es waren die *Jagdszenen aus Niederbayern* - ein Volksstück, das derb und klobig, mit einem ungeheuer ursprünglichen dramatischen Talent die Vorurteile und die dumpfen Haßvorstellungen eines bayrischen Dorfes festhält. Martin Sperr und der gleichfalls in München lebende Rainer Werner Fassbinder knüpften mit diesen Volksstückzügen auch an eine Dramatikerin an (es ist übrigens eine der ganz, ganz wenigen deutschen Dramatikerinnen, die mir einfällt - Drama scheint aber im übrigen Männersache zu sein), die Bertolt Brecht in die Hände fiel und

116

Rolf Hochhuth

unter seiner strengen Hand das Volksstück *Pioniere aus Ingolstadt* schrieb. Das Stück, das zeigt, wie Pioniere und Mädchen unter völlig verschiedenen Voraussetzungen zum gleichen kommen, nämlich zum Miteinander-Schlafen, das gleichzeitig die deformierte Mentalität von Deklassierten vorführt, dieses Stück erwirkte einen der größten Theaterskandale der ausgehenden Weimarer Republik. Und Ingolstadt schämte sich, wie das für reputierliche und fromme Gemeinden üblich ist, damals seiner Tochter sehr. Die Ingolstädter, die doch beweisen wollten, daß sie viel edler sind, als die Fleißer sie gezeichnet hatte, wollten vor Edelmut die Fensterscheiben ihres Elternhauses einschlagen - eine Methode, die bald darauf zu einer beliebten Form von »Kritik« avancierte. Die andere Kritik hatte Dr. Goebbels zu diesem Zeitpunkt dann schon mitsamt solchen Stücken wie dem der Fleißer verboten.

Als 1970 in München die *Pioniere* wiederaufgeführt wurden, reagierte das Premierenpublikum auch wieder mit Pfiffen und Buhrufen für die Autorin, die sich immer wieder tapfer auf der Bühne zeigte.

Viele Menschen denken, wenn vom deutschen Dramatiker die Rede ist, immer noch und vor allem an Carl Zuckmayer, an den »Zuck«, wie er zutraulich genannt wird. Das Bild, das er vom Dramatiker auf diese Weise projiziert hat, sieht - immer noch - jungenhaft unbekümmert aus, hat einen - fast ist man versucht zu sagen - Wildwestcharme, viel Deftiges und Uriges und wuchtet ganze Kerle auf die Bühne: Räuberhauptmänner (auch in Fliegergeneralsuniform), fröhliche Rheinländer, die in Robert Neumanns Parodie so unvergleichlich auf die Bühne pinkeln (dazu Klärchen, wie es heißt »versonnen«: »Das füllt e ganze dritte Akt«).

Auf die Theatergänger der zwanziger und der ersten zwei dreißiger Jahre muß der *Fröhliche Weinberg* wie eine rettende Erlösung gewirkt haben. Jedenfalls wurde er so bejubelt. Nach den vielen Symbolfiguren, die die Expressionisten zwecks Weltdeutung auf die Büh-

Carl Zuckmayer

nen bemüht hatten, müssen die Natürliches natürlich Tuenden (siehe oben, Stichwort »Pinkeln«) ungeheuer befreiend gewirkt haben. Zuckmayer, zweifellos der populärste lebende Dramatiker, hat nach 1945 noch einmal so erleichternd und befreiend auf seine Theatergäste gewirkt: eben mit *Des Teufels General*.

So ist Zuckmayer sich auch, siebzigjährig, jungenhaft gleich geblieben. Nicht umsonst heißt sein Erinnerungsbuch, in dem viele der Zuckmayerschen Kraftakte Wein, Weib und Gesang gegenüber festgehalten sind, *Als wär's ein Stück von mir*.

Gerhard Hauptmann, der mit seinen *Webern* immerhin erreichte, daß SM Wilhelm II. seine Loge im Theater kündigte, stilisierte sich im zunehmenden Alter immer mehr auf Goethe hin: in einer Art kopflichen Mimikry gelang es ihm, dem Olympier immer ähnlicher zu werden. Übrigens: die Altersdramen sind auch danach.

Ein anderer »alter Mann« hat als Theaterkritiker den jungen Gerhart Hauptmann gegen die wütenden Angriffe der Berliner, denen der Naturalismus »niedrig« und »gemein« erschien, auf das schönste verteidigt und gerechtfertigt: Theodor Fontane.

Als Fontane über die *Weber* schrieb und ihnen nicht etwa das Revolutionäre vorwarf, sondern eher, daß sie im letzten Akt den revolutionären Elan wieder zurücknähmen (»Es ist ein Drama der Volksauflehnung, das sich dann wieder in seinem Ausgange gegen diese Auflehnung auflehnt, etwa nach dem altberlinischen Satze: Das kommt davon! ... Die *Weber* wurden als Revolutionsdrama gefühlt, gedacht, und es wäre schöner und wohl auch von unmittelbarer, noch mächtigerer Wirkung gewesen, wenn es sich ermöglicht hätte, das Stück in dieser seiner Einheitlichkeit durchzuführen ...«), als also Fontane für das Revolutionäre und den jungen Gerhart Hauptmann, der damals von seinen Goethe-Höhenwanderungen noch weit entfernt war, plädierte, war Fontane fünfundsiebzig Jahre alt. Einen jüngeren, klügeren, frischeren Greis hat es wohl auch unter Dichtern nicht zu häufig gegeben.

Doch ist das Kapitel, das Fontane als Theaterkritiker heißt und das vierundzwanzig Jahre, von 1870 bis 1894, währte, auch ein interessanter Beitrag zu dem Thema der manchmal doch recht kurzzeitigen Unsterblichkeit von Dichtern. Während Fontanes Kritiken überdauert haben, herrlich sind wie am ersten Tag, kann man von den meisten Dramatikern, mit denen sich Fontane so gescheit, verständnisvoll, witzig, einfühlsam und eindringlich auseinandersetzte, das gleiche in den wenigsten Fällen behaupten.

Zwar: Gerhart Hauptmann gibt es noch und Friedrich Hebbel auch, obwohl Fontane das Kraftmeiertum von *Herodes und Mariamne* als erster skeptisch und spöttisch durchschaut hat. Von Gustav Freytag spielt man immerhin noch ab und an *Die Journalisten*, auch wenn man sie nicht gerade zu den tiefsinnigen Werken der deutschen Theaterliteratur rechnen möchte.

Aber sonst? Wer kennt noch Berthold Auerbachs Stücke *Das erlösende Wort* und *Eine seltene Frau?* Wer spielt noch Freytags *Graf Waldemar,* Roderich Benedix' *Die zärtlichen Verwandten,* Brachvogels *Prinzessin Montpensier,* Friedrich Bodenstedts *Alexander in Korinth?* Und wer wagt es sich vorzustellen, wie es in einem Stück von Felix Dahn zuging, das *Deutsche Treue* heißt, oder in einem von Anton Günther, das sich *Comtesse Dornröschen* nennt.

Titel gab es damals! Heinrich Laube, er war ja nicht nur Dramatiker sondern auch Direktor des Wiener Burgtheaters, nannte eines seiner Stücke *Die eine weint, die andere lacht.* Paul Lindau beschäftigte sich mit dem *Johannestrieb* und Gustav zu Putlitz sah *Das Schwert des Damokles* über dem Theater schweben oder ließ es preußisch blitzen: *Das Testament des großen Kurfürsten, Die Unterschrift des Königs.*

121 Gewiß, das war die Gründerzeit. Aber man sollte sich vor Augen hal-

ten, daß all diese Stücke nicht etwa »in der Provinz« uraufgeführt wurden, sondern an der offiziösen führenden Bühne des Deutschen Reichs, das sich gleich nach seiner Gründung im Berliner Hoftheater mit dem *Wilhelm Tell* feierte, eine Aufführung, die selbst Fontane in heftige patriotische Wallungen versetzte.

Sieht man sich den Spielplan an, den Dichterfürst Goethe in seiner Spezialeigenschaft als Weimarer Intendant zusammenstellte, sieht es eigentlich auch nicht viel anders und besser aus: Vulpius, der Schwager, wurde da gespielt, Kotzebue und Iffland.

Es ist schwer, ein Charakteristikum »des deutschen Dramatikers« zu geben: sicher hat er viel von den Zügen Schillers, jenes idealisch hochgespannte Pathos, das sich bis ins Studienratsdrama unserer Tage fortpflanzt. Sicher auch hat er viel von Brecht, der als Bürgerschreck begann, als Poet der Gosse, der seinem Theater die Grotesk-Komik und den Sprachwitz des genialen Münchner Spaßmachers Karl Valentin einverleibte und der munter zitierte, was ihm über den Weg lief: die Bibel und Boxer, John Gay und Villon - schließlich vor allem Karl Marx, der aus Brecht Brecht machte, den Autor also, der den Klassenkampf auf das Theater geholt hat, das sich dabei auch formal erneuern, von seiner Bürgerlichkeit befreien mußte. Schließlich trägt das Bild des deutschen Dramatikers auch die Züge des alten Brecht: eine Geste freundlicher Weisheit, eine Theaterarbeit mit wissenschaftlicher Geduld, eine Maske chinesischer Parabolik.

Und der deutsche Dramatiker trägt zur Zeit die Züge Rolf Hochhuths: die eines insistierenden Don Quijote, eines Mannes, der emsig liest und studiert und den alles, was er liest, in einen Abscheu auf das finstere Treiben der politischen Welt versetzt - zu Recht. Und wie er selbst dagegen mit schöner Naivität und mit überall Finsteres witternder Nase gegen diese Welt anrennt - merkwürdigerweise stelle ich mir ihn dabei immer auf einem Fahrrad vor, weil über seinen Hang zum Fahrradfahren immer wieder zu lesen war -, so tun dies auch seine sympathischen Helden. Was ficht es ihn an, daß die Soziologen der Frankfurter Schule (Adorno) eigentlich bewiesen haben, daß es dergleichen nicht mehr gibt und geben kann? Und was, daß seine Dramaturgie so tun kann und muß, als sei seit *Kabale und Liebe* eigentlich nichts dazu gelernt worden.

Ja, der deutsche Dramatiker trägt eigentlich immer noch die Züge von Schiller.

Was vor ihm, was vor Lessing war, haben wir weitgehend beiseite geschoben. Hans Sachs? Ach ja, das ist der, der in den *Meistersingern* mitspielt und ein Mädchen, das er selbst liebt, edelmütig einem anderen erobert. Ach ja, das ist der, von dem es den Holperreim »Schuh/macher und Poet dazu« gibt. Ach ja, Volksschulklassen spielen seine derben Bühnenscherze (*Das Kälberbrüten*) manchmal noch zu Schulschlußfeiern.

Andreas Gryphius? Immerhin der große deutsche Barockdramatiker - also das, was Calderon für Spanien ist -, ist nur noch eine Spezialbeschäftigung für Germanisten. Und was seinen *Peter Squenz* angeht, so gilt das für Hans Sachsens *Kälberbrüten* Gesagte.

Vor Lessing und Schiller die Sinflut.

Vom Herz zum Schmerz

Von dem Spätbarocklyriker Johann Christian Günther (1695-1723) meinte Goethe, der trotz vielen gelebten und lyrischen Schmerzes sein Leben auf Verklärung und Altersweisheit einzurichten verstand: »Er wußte sich nicht zu zähmen, und so zerrann ihm sein Leben und sein Dichten.«

Achtundzwanzigjährig war Günther nach alkoholischen und sexuellen Exzessen in Angst und Verzweiflung gestorben. Sein Vater verhielt sich so, wie sich Leute verhalten, solange sie noch nicht wissen, daß der, der da trinkt und in keine Ordnung paßt, eben ein Dichter ist und wie sie sich nie verhalten hätten, wenn der Nachruhm etwas wäre, was schon zu Lebzeiten verteilt würde: er wies den verzweifelt Heimkommenden, der doch Besserung gelobte, von der Tür.

Günther, sein Leben, Goethes Urteil über ihn: im Grunde sind hier alle Ingredienzien beisammen, die den deutschen Lyriker ausmachen. Ob man an den armen Hölderlin denkt, den Schillern freundlich vermahnte, an Lenau oder an Trakl - vielen deutschen Lyrikern ist ihr Leben »zerronnen«. Sie geben jedenfalls in der Vergangenheit ein dauerhafteres Bild von dem, der Gedichte schreibt, vom »Poeten« also, als es jene Weihestilisierungsversuche eines Stefan George taten, der alles klein schrieb - nur nicht sich selber.

Das Aug in holdem Wahnsinn rollend, zu schwach für den Anprall der Welt, zu genau, um ihre Ungenauigkeit ertragen zu können, der Herausforderung des Gemeinen nicht gewachsen - das ist die Silhouette, die man für den Lyriker geschnitten hat, auf daß er in sie passe. Der Lyriker ähnelt im deutschen Selbstverständnis dem Komponisten: dem Mozart, der das Requiem schrieb, dem Beethoven, der trotzig seine Faust gegen die Gewitter schüttelte, dem Schumann, den Wein und Wahn der Wirklichkeit entrückten.

Sind heutige Lyriker so? Und hat man nicht ein leichtes Entsetzen, wenn man sich einen Lyriker Knödel essend, mit Touropa reisend, sich die Fußnägel schneidend vorstellt? Was der Romancier darf, was dem Dramatiker nachgesehen wird - das wird dem Lyriker verübelt. Er sollte, um die Erwartungen, die man mit ihm verknüpft, zu erfüllen, eigentlich immer in den Wolken hausen, sich von Luft und Reimen ernähren, unglücklich verliebt sein (»ohne Erfüllung lieben« heißt das in Literaturgeschichten) und seinen Körper tunlichst bei der nächstbesten Pfandleihe abgegeben haben.

Rilke, der wußte, was man von ihm erwartete, hat über das Zustandekommen der Duineser Elegien berichtet, daß ihm ein göttliches Diktat die Hände geführt habe, daß er unter diesem Ansturm mit beiden Händen habe schreiben müssen und daß er nicht wisse, wer ihn damals ernährt habe. Bis vor wenigen Jahren lebte die Haushälterin in der Schweiz in Muzot noch, wo sich solches zutrug (vielleicht tut sie das auch noch heute). Und auf die Frage, wer Rilke ernährt habe, antwortete sie stolz und selbstsicher: »Ich.« Rilke habe sein Mittagessen regelmäßig und pünktlich erwartet. Nur einmal sei er fünf Minuten zu spät zu Tisch gekommen. So sieht die Realität aus, was den Ansturm des Göttlichen betrifft.

Die ungute Gleichung von Leben und Werk - jedenfalls ungut, sobald sie mit Primitivklischees vom »entrückten« Dichter gezogen wird - bedroht, wie wir sehen, den Lyriker am meisten. Man muß sich vor Augen halten, daß Hölderlins einsame Gipfelwanderung, daß seine Betroffenheit und sein Ausgesetztsein die Ausnahme sind und nicht die Regel. Klopstock, dem Hölderlin nachzueifern strebte, zum Beispiel, war trotz des messianischen Zuges seiner Dichtung ein ganz und gar den Lebensfreuden zugewandter Mensch, wie nicht zuletzt seine Oden über Eislauf und sonstige kleine Freuden beweisen. Und die Schweizer Bewunderer, die ihn einluden, als Dichter des *Messias* einluden, waren wohl über seine »Weltlichkeit« gar ein bißchen schockiert. Das machte: sie waren als erste dem lyrischen Klischee von Lyrikern erlegen.

So wollen wir uns auch nicht leichtfertig über die Gegenwartslyriker mokieren, nur weil wir sie noch auf Erden und noch nicht im rosatraurigen Himmel unserer Wunschvorstellung erleben. Nur weil Rudolf

125

Walter Leonhardt vor Jahren in seinem Büchlein »Junge deutsche Dichter für Anfänger« zu berichten wußte: »Es gehöre sich einfach nicht, so sagen die Puristen, daß einer selber dichtet und zugleich als Kritiker der Dichtungen seiner Kollegen hervortritt. Zwischen Merkern und Textern (wie Leonhardt Kritiker und Autoren nennt) hat nicht Personalunion zu bestehen, sondern Todfeindschaft.«

»In der Lyrik ist das angeblich Ungehörige die Regel. Ein Versgebilde, das ein bißchen Kompetenz und ein bißchen Originalität verrät, darf der allerentgegenkommendsten Aufnahme gewiß sein. Verleger, harte, geschäftstüchtige Männer, rühmen sich geradezu des Geldes, das sie mit lyrischen Publikationen bankkontoweise verlieren. Und wenn die Leiter der Literaturblätter ratlos vor dem neuen Bändchen grübeln, dann fällt ihnen, die ja auch Menschen allerbesten Willens sind, als Rezensent für das Werk des Lyrikers X am Ende eben doch kein anderer ein als der Lyriker Y.«

Leonhardts Buch erschien 1964, also vor sechs Jahren. Karl Krolow rezensiert immer noch Lyrik. Daß er daneben deftig erotische Gedichte schrieb, ist allerdings eine neuere Einsicht.

Nach den Erfahrungen, die man als Redakteur an deutschen Feuilletons machen kann, dichtet und webt es noch immer beträchtlich in jugendlichen Gemütern. Will sagen: es wird noch immer in erstaunlichem Maße Lyrik abgesondert, besonders - wie könnte es anders sein - im Frühjahr, den das Gedicht aber lieber Lenz nennt, obwohl sich das auch nicht viel besser reimfähig verwenden läßt (Lenz - er erkennts - Lenz - Mercedes Benz, Lenz - mein Herz verschwendts und so ähnlich). Natürlich ist das Hauptthema solcher unverlangt eingesandter Lyrik immer noch vorwiegend die Liebe. Insofern ist diese Lyrik heilbar - wie Pubertäts-Akne kann sie durch körperliche Kontakte, durch sexuelle Befriedigung zum Erliegen gebracht werden.

Wo sich junge Lyrik zeitnäher und unter Verzicht auf Herz-Schmerz-

Reime gibt, mehr von Ge- und Verworfenheiten handelt, von gläsernen Träumen, Nachtbooten, vom Radarstrahl der Triebe, vom Neonlicht der Träume, ist sie ebenfalls heilbar.

Ein unheilbarer Fall, Friederike Kempner - auch der »Schlesische Schwan« genannt - verdankt ihre Unsterblichkeit gerade der Sterblichkeit ihrer Verse. Sie sind so herzerweichend schlecht, daß sie schon wieder fast das Beste sind. Sie bilden jenes Ende, wo Dummheit und höchste Einsicht zusammenstoßen, wo Unbegabtheit sich mit höchster Begabung berührt.

Hermann Mostar hat diese wilhelminische Buhlerin mit der lyrischen Muse als »lebenslanges Fräulein« beschrieben. Doch warnt Mostar auch vor Hochmut: indem er meint, »Dichten kommt nicht nur bei ›lebenslangen Fräuleins‹ vor, sondern auch bei lebenslangen Backfischen, zu denen viele verheiratete Damen und Herren zählen.«

Wie sich die Kempner selbst gegen ungemäße Kritik wehrte, sei hier der Einfachheit halber von ihr selbst vorgeführt:

Wie den Dichter ihr ankläfft,
Nie ihr doch ihn tödlich trefft,
Schnell er steiget auf den Baum,
Träumt daselbst den schönsten Traum!

Noch deutlicher:

Wie wüßtet ihr, was ich empfinde?
Ihr wißt es nicht, ich sag es frei!
Wart ihr denn etwa auch dabei,
Als sich entfesselten die Winde?

127   Ohne Zweifel - das ist die poetischste Umschreibung der Tatsache von

Leibbeschwerden, die sich in Blähungen entladen. Und sicher ganz anders gemeint.

Weil die Kempner von ihrer Dichtkraft überzeugt war - sie fürchtete nur eins: nämlich scheintot begraben zu werden, weshalb sie auch dagegen tapfer-drollig ansang -, brachte sie ihre Gedichte dennoch heraus. Da niemand sie damals drucken wollte: im Selbstverlag. Auch dies ist Dichterlos.

Sie hat (dieser Lorbeer gebührt ihr ohne Zweifel) am richtigsten und treffendsten die falschen Vorstellungen von den Dichtern und der Dichtung in Verse gegossen. Der Hund, auf den die Poesie bei ihr kommt, zeigt manchmal auch an, wo er begraben ist: als Pudels Kern enthält er alles falsche Bewußtsein von der Rolle der Dichtung:

> *Poesie ist Leben*
> *Prosa ist Tod*
> *Engelein umschweben*
> *Unser täglich Brot*

Selbst wenn die Kempner nicht mehr zu schreiben vermochte, tat sie das schreibend (wie ja auch die Totsager der Literatur das Tote ausnahmsweise als lebendig vorführen):

> *Mich ergreift die Langeweile*
> *Ich schreibe keine Zeile,*
> *Kein Vogel gedeiht in solcher Luft,*
> *Wo alles nur nach Gelde ruft;*
> *Wo alles raset nach Gewinn,*
> *Kommt einem gar kein Lied in' Sinn;*
> *Die Bäume stehen öd und leer,*
> *Man hört kein einzig Zwitschern mehr!*

Stumm zu zwitschern, zwitschernd stumm zu sein: wer außer dem Schlesischen Schwan kann solches noch fertig bringen?

Da die Leistungsgesellschaft, die auch die Dichter gern in Welt-, Europa-, Landes- und Provinzmeister aufteilen möchte, nur Leistungen nach oben messen will, fehlt der Ehrenplatz der Kempner auf dem nationalen Parnaß. Sie teilt damit das traurige Los der langsamen Läufer und müden Springer: denn wir erfahren immer ganz genau, wer der schnellste Hundertmeterläufer ist, wie seine Zeit lautet. Der langsamste Hundertmeterläufer jedoch bleibt unberühmt, unbekannt. Kein Sportbuch hält seine Rekordzeiten fest.

Nebenbei: der Neffe der Friederike Kempner war der Theaterkritiker Alfred Kerr. Und manche seiner von den Zeitgenossen so hoch geschätzten Wortspiele mögen, man verzeihe mir, dem tantlichen Erbgut direkt entnommen sein.

Eine norddeutsche Zeitgenossin der Kempner, die Julie Schrader, ist weniger bekannt und berühmt geworden, obwohl auch sie ganz tapfer dichtete und vor kaum einem Reim zurückschreckte. Auch ihr war Kunst das Höchste, wie der folgende Vierzeiler auf Beethoven beweist:

> *Beethoven, oh, Ludwig van*
> *Hatte Gott dich auch verlassen . . .*
> *Deine Lieder pfeift man*
> *In den Domen, auf den Straßen.*

Natürlich haben wir's heute viel weiter gebracht und jedes (halbwegs lyrisch bewanderte) Kind weiß, daß die Vierzeiler, in denen die Reime klappern und es an direkten Anrufen mit »Oh«! nicht mangelt, eher im Kitsch landen als in einer Anthologie der besten Gedichte eines Jahrhunderts.

129

Dennoch möchte ich schon ganz gerne wissen, was unsere Enkel sagen werden, kommt ihnen durch einen Zufall Rolf Brinkmanns 1968 veröffentlichter Gedichtband *Die Piloten* in die Finger und sie lesen dort, in einem Gedicht, das zeitgemäß »Leben mit Frankenstein« heißt, als letzte Strophe:

> *. . . Ich zeig ihr meine*
> *Hand in Gips*
> *30. 11.*
> *31. 11.*
> *32. 11.*
> *33. 11.*
> *34. 11.*
> *undsoweiter, wie man*
> *sich das jetzt schon*
> *denken kann.*

Um deutlich zu machen, wie man heute dichtet, erlaube ich mir, hier, an dieser Stelle, zwei Parodien auf Helmut Heißenbüttel zu zitieren. Die erste stammt von Dieter Saupe. Sie wird hier nur in einem Auszug wiedergegeben:

> *Quer ging ich quergehend in die quergegangene Quere*
> *von quergehenden Quergängern quergehend quergegangen*
> *querte ich quergegangen habend die quergehend querene Quere*
> *Alle ulkdümmlichen konstruierten Tautologien*
> *zusammensammeln, das ist mein Thema.*

Die zweite hat Karl Hoche zum Verfasser, sie wurde in der *Zeit* veröffentlicht:

Lyrik

»Schreiber beschreiben Schreiber. Die beschriebenen Schreiber beschreiben die beschreibenden Schreiber. Die beschriebenen Schreiber schreiben wie die beschreibenden Schreiber die beschriebenen Schreiber beschreiben. Die beschreibenden Schreiber beschreiben wie die beschriebenen Schreiber beschreiben. Das Beschriebene beschreibt die Schreiber. Die Schreiber schreiben wie das Beschriebene die Schreiber beschreibt. Die durch das Beschriebene beschriebenen Schreiber beschreiben wie Schreiber das Beschriebene beschreiben . . .«

Die beiden Parodien wurden hier nicht nur zitiert, um sich über Heißenbüttels *Textbücher* zu moquieren. Im Gegenteil. Sie sollten belegen, wie wenig die heutige Lyrik der heutigen Lyriker mit dem Seelenerguß dessen, was man erlebte oder zu erleben vermeinte, in Verse und Reime zu tun hat. Anders bei Brinkmann, der im Gedicht immer noch »erlebt«. Ob man dabei »kosen« oder wie Brinkmann, zeitgemäßer, »ficken« verwendet, ergibt, wie ich meine, bestenfalls einen graduellen Unterschied. Und was die Parodien auf Heißenbüttel anlangt: Parodien belegen das Gemeinte deutlicher, schneller, weil verkürzt und vergröbert.

Karl Kraus hat in *Literatur und Lüge* prophezeit, daß erst dann bessere Zeiten kommen würden, »wenn das Publikum endlich glauben lernen wird, daß ein Schuster echtere Beziehung zur Lyrik hat, als eine Schuhfabrik oder gar ein Redakteur. Da ein solcher Glaube aber nie einreißen wird, so werden nie bessere Zeiten kommen. Also werden noch viele schlechte Lyrik-Anthologien kommen.«

Verschreckt über diese Feststellung, die mich in meinem Redakteursberuf ertappt, verlasse ich schnell die deutsche Lyrik und den deutschen Lyriker.

Der eben herbeibemühte Karl Kraus hatte einen Horror vor Konversationslexika, jedenfalls bezüglich deren Eignung zur Befragung über Dichter. Folgendes widerfuhr ihm beim Brockhaus-Lesen: »Über Jean Paul fand ich die Bemerkung, er sei eigentlich kein Dichter gewesen, bezeichnend sei ja hierfür, daß er keine Verse geschrieben habe. Seit damals glaube ich, daß die Sphärenmusik von Charles Weinberger ist und das Buch der Schöpfung vom Buchbinder.«

Früh reimt sich, was ein Dichter werden will. Wer ein Drama schreibt, ist ein Dramatiker, wer Lyrik zu leisten vermag, ist ein Lyriker. Jedoch ist, wer einen Roman schreibt, keineswegs ein Romantiker. Er ist, mit einem französischen Fremdwort, vornehm: ein Romancier. Weniger vornehm, auf Deutsch: ein Erzähler.

Gut, aber erzählen kann man den *Zauberberg* und einen Lore-Roman, den *Prozeß* und den *Mord an Dr. X.* Ein Erzähler füllt die Romanspalten der Regenbogenpresse, aber auch Arno Schmidt ist ein Erzähler, der in Jean-Paul-Abgeschiedenheit *Zettels Traum* fertigstellte, ein Buch, das Vorausahnende schon jetzt den »deutschen Ulysses« nennen und von dem weniger Vorausahnende mindestens wissen, daß wahrscheinlich das »und« dort als & geschrieben werden wird. Inzwischen ist *Zettels Traum* erschienen: das schwerste Buch, das es je gab. Ob es bald auch Leser findet? Um es wirklich zu lesen, braucht man mehrere Monate hindurch einen vollen Acht-Stunden-Lesetag. Vor allzu üblen Nachreden ist Arno Schmidt also sicher, weil er sein Buch als undurchdringliche Mauer zwischen sich und seine potentiellen Leser gestellt hat. Geben die Staatstheater dem Dramatiker, wenigstens vorübergehend, die Dramatikerweihe - was die Boulevardtheater spielen, wird naserümpfend draußen gelassen, bis sich wieder einmal ein Fall Feydeau ereignet -, ist ein Lyriker zumindest kurzzeitig ein Lyriker, wenn er einen Gedichtband herausbringen kann, so ist das beim Erzähler schwerer. Wie soll man zwischen Simmel und Böll, zwischen Hans Habe und Peter Bichsel unterscheiden und wo, o Not, tut man gar Alfred Andersch hin?

Mit Gattungseinschränkungen klappt das wohl nicht mehr recht - nicht nur, weil wir inzwischen am amerikanischen Kriminalroman (Dashiel Hammet, Raymond Chandler) gelernt haben, daß auch diese Gattung kein absolut sicherer Schutz vor literarischer, vor dichterischer Größe ist. Nein, wir hätten das sogar an Friedrich Dürrenmatt lernen können, der auch nicht zu dichterisch erhaben war, sich die Form des Kriminalromans anzueignen. Gehen »Liebesromane« nicht? Walsers *Einhorn* ist ein solcher. Fallen »Heimatromane« nicht unter die hohen Kriterien der Dichtung? *Die Blechtrommel* von Grass und die *Deutschstunde* von Lenz sind Heimatromane und Bestseller.

Vielleicht können nur so simple Vokabeln wie »gut« und »schlecht« in dieser breitgestreutesten, vom Landserheft bis zu Musils *Mann ohne Eigenschaften* reichenden Gattung der Literatur weiterhelfen.

Aber auch da ist kaum Sicherheit. Glaubte man bis vor einigen Jahren felsenfest daran, zu wissen, was für Unterschiede zwischen Thomas Mann und Karl May existierten, so hat Arno Schmidt (ja, der mit dem &) hier auch gründlich Unklarheit geschaffen. Und seit alle Welt von Subkultur spricht, muß man, um sich nicht zu blamieren, indem man Donald Duck geringer einschätzt als *Werthers Leiden*, auch die Kategorien von »gut« und »schlecht« beiseite tun.

Sicher taucht bald jemand auf und entdeckt die literarischen Qualitäten der Courths-Maler, der Eschtruth, der Marlitt wieder. Und vielleicht sind Hans Habes Romane über irgendeinen mir noch nicht vorstellbaren Umweg doch noch gut. Oder irgend jemand bringt die verborgenen Qualitäten von Alfred Andersch' Romanen *Die Rote* und *Ephraim* ans Tageslicht.

Soll man die »fabrikmäßige« Produktion verwerfen, da man doch weiß, daß Balzac wie ein versklavter Berserker schuften mußte, um seine Schulden abzuarbeiten? Soll man den Autor ausschließen, der »auf Bestellung« schreibt, da doch bekannt ist, daß Dostojewski seine ungeheure Meistererzählung *Der Spieler*, nebenbei, mit der »linken Hand« schrieb, weil er dringend einen Vorschuß abarbeiten mußte. Soll man die Selbsteinschätzung zugrunde legen, da man weiß, daß Franz Kafka die Verbrennung seiner nachgelassenen Manuskripte, also auch des *Prozeß* und des *Schloß* anordnete. Soll man Bücher für unkünstlerisch halten, die eine außerliterarische, modische Breitenwirkung haben?

Manche denken da gern an *Vom Winde verweht* und sagen schnell »ach ja, bitte!« Andere denken eher an den *Werther*, der ja nicht nur den Vorzug hatte, daß ihn der grimme Napoleon im Kriegszelt unter seinem Kopfkissen zu liegen hatte, sondern auch weltschmerzlichen Schwermutskindern als Selbstmordvorlage diente. Andere, bescheidenere Leute töteten sich nicht gleich wie Werther, sondern kleideten sich nur dem Goetheschen Helden entsprechend. Zeitgemäß ausgedrückt: eine frühe Variante des »Doktor-Schiwago-Look«.

Soviel ist sicher: diese überschwappende, Buch um Buch zeugende Gattung »Erzählung« oder »Roman« ist geeignet, endgültig die Ungeeignetheit des Adelsprädikats »Dichter« zu belegen. Erlebt jemand was Kitschiges, wirft ihm die Umgangssprache sofort vor, er habe einen Roman erlebt. Erzählt jemand etwas Unwahrscheinliches, so mahnt man ihn: »Erzähl keine Romane!«

Liest man den *Felix Krull* wieder, jene gestelzte Humorigkeit, die lange für ironische Distanz galt und die mir nur noch geziert vorkommt wie Primanerparodien, dann wachsen die Zweifel eher noch. Es ist schon richtig: die Gattung war eigentlich mit ihrem Anfang schon ruiniert, mit dem *Don Quijote*, der sich schon vornahm, der letzte Roman zu sein, indem er alle seine Vorbilder im Gelächter aufheben wollte.

Trotzdem gibt es Heinrich Böll und Wolfgang Koeppen, dessen Ruhm in den letzten Jahren durch intensives Schweigen vermehrt wurde, und es gibt Max Frisch, dessen Namen *Stiller* oder *Gantenbein* sei und es gibt Uwe Johnson, der Gesine und Karsch die deutsche Teilung in spröder Bewußtheit erleben läßt. Und es gibt Günther Herburger und Peter Bichsel und Peter O. Chotjewitz und Uwe Brandner und Peter Handke und Hubert Fichte. Und während vor Jahren Karlheinz Deschner bei den damals jungen Leuten scheinbar offene Türen einzurennen schien, wenn er ihnen mit bösen Zitaten belegte (in *Kunst, Kitsch, Konvention*), daß Hermann Hesse doch eher ein Kitschier sei, so muß man zur Zeit verwundert erleben, wie die härtesten Jungs aus Amerika sich an einem der romantisch-verquersten Bücher berauschen, am *Steppenwolf,* von dem ich meinte, er lasse sich nur so erklären, daß es in Schwaben schon ein Sakrileg sei, wenn man in ein frischgebohnertes Treppenhaus mit beschmierten Schuhen eintritt.

Oder anders ausgedrückt: *Der Steppenwolf,* inzwischen Name einer Beat-Gruppe und Leib- und Magenbuch der jungen amerikanischen Outcasts, kam mir immer ein wenig vor wie jener schwäbische Pfaffenwitz, wo der frischvermählte Geistliche in der Hochzeitsnacht seine Anvermählte lediglich einmal am Bauch kitzelte, um dann stolz zu sagen: »Gell, ich bin ein Wilder.« Aber, fällt mir ein, das Buch ... *deine Schwaben* ist bereits erschienen. Und braucht, was die Auflage angeht, auch keine Hilfsdienste mehr.

Ein Kriterium, Romanautoren zu erkennen, ist ihr jahrelanges Verstummen. Gut Ding braucht Weile, Romane brauchen Zeit. Wolfgang Koeppen zum Exempel hat seit 1954, seit seinem Roman *Der Tod in Rom* als Erzähler zumindest geschwiegen. Nur noch glänzende, musterhaft geschliffene Reisefeuilletons sind von ihm seither erschienen.

Max Frisch

Auch Uwe Johnsons letzte Erzählung, die *Zwei Ansichten,* in denen die deutsche Teilung nicht eine Sache äußerlicher Trennungen, sondern die von sich verschieden entwickelt habenden Bewußtseinslagen ist, liegt inzwischen fünf Jahre zurück. Der Autor, auch im Gespräch einer der perfektesten Schweiger der deutschen Gegenwartsliteratur, ist, wie so viele seiner Dichterkollegen, ohne Pfeife schwer vorstellbar. Johnson ist groß, eckig, von vergangenem Blond - die spröde Gescheitheit seiner Person korrespondiert mit der zögernden Genauigkeit seiner Prosa, in der es nichts Vorschnelles, nichts Voreiliges gibt.

Auch Heinrich Bölls letzte Erzählung, die satirische Entfernung von der Truppe, liegt gute vier Jahre zurück. Böll, dessen Romane so etwas wie den erzählten Widerstand gegen das allzu schnelle und routinierte Fertigwerden der Deutschen mit dem, was sie euphemistisch ihre »Vergangenheit« nennen, darstellen, dieser Heinrich Böll ist zweifellos das, was man das literarisch-politische Gewissen der Bundesrepublik nennen könnte. Beispielsweise in der Sowjetunion der geschätzteste Gegenwartsautor aus der Bundesrepublik, hat Böll das Gewicht einer integren und lauteren Vernunft stets eingebracht, wo es darum ging, seine Landsleute davor zu warnen, unter christlicher Verbrämung der Adenauer-Ära, alte Fehler nur in neuer Kostümierung zu wiederholen. Heinrich Böll, nach Grass zweifelsohne der bekannteste Autor - eine »Rangliste«, in der unter den Erzählern seit der *Deutschstunde* auch noch Siegfried Lenz geführt werden muß -, hat nie zu dem literarischen »Betrieb« der Bundesrepublik gehört und war doch in all den Jahren stets beteiligt, stets mit seiner gewichtigen Stimme dabei - der Fall eines rheinischen Einsiedlers, dessen persönlichen und schriftstellerischen Wirkungen man sich gerade deshalb nicht entziehen konnte, weil Böll sich allen Äußerlichkeiten literarischen Gerangels so unpretentiös entzog, ohne vor den Aufgaben des Tages zu flüchten.

Aber hier war vom Verstummen der Erzähler die Rede, und einer der anmutigsten, verstörtesten deutschsprachigen Erzähler, einem breiteren Publikum immerhin und leider nur als Kafka-Vorläufer bekannt - also der Schweizer Robert Walser -, hat diesen Zustand des Romanautors in seinen Erzählungen *Poetenleben* geschildert. Das Prosastück *Der neue Roman* beginnt so:

»Ungemein schätzenswerte, gute, brave, liebe Leute waren es; nur fragten sie mich unglücklicherweise immer nach dem neuen Roman, und das war fürchterlich.

Traf ich auf der Straße einen bekannten schätzenswerten Menschen an, so sagte und fragte er: ›Was macht Ihr neuer Roman? Zahlreiche begierige Leute freuen sich zum voraus und sind schon heute gespannt auf Ihren neuen Roman. Nicht wahr, Sie ließen doch freundlich durchblicken, daß Sie einen neuen Roman schreiben. Hoffentlich erscheint er bald, der neue Roman.‹

Ich Unglücklicher, ich Bedauernswürdiger!

Freilich hatte ich allerhand Andeutungen gemacht. Es ist wahr. Ich war so unklug und unvorsichtig gewesen, durchblicken zu lassen, daß mir unter der Feder oder unter dem Federhalter ein neuer großer Roman hervorfließe.

Jetzt saß ich in der Tinte. Verloren war ich.«

Robert Walser schildert dann, wie er aus Angst vor diesen erwartungsfrohen Fragen Gesellschaften, die er ehedem gern besuchte, zu meiden lernte, wie er nur in der Dunkelheit sich aus dem Haus traute, wie der Verleger ihm zusetzte:

»In reichem Maße lernte ich das Elend kennen, das ein Romanschriftsteller zu erleben bekommt, der seinen neuen, erstaunlichen und pakkenden Roman mehr zu liefern treuherzig verspricht als wirklich und wahrhaftig auf den Tisch legt und liefert, der denselben mehr durchblicken läßt und in Aussicht stellt als schreibt.«

139 Und das Ende der Geschicht: »Bald jedoch machte ich dem beklem-

menden, beklagenswerten Zustand dadurch ein jähes Ende, daß ich eines Tages sozusagen verduftete und abreiste.«

Vielleicht steckt in dieser Erzählung vom Erzählerelend eine Erklärung dafür, warum sich so viele deutsche Erzähler bis in die entferntesten, abgelegensten Winkel der Welt verstecken, warum sie (wie Siegfried Lenz) einen guten Teil des Jahres, angelnderweise und fern der Othmarschen Villa, verborgen im höheren Norden verbringen, um aus dänischen Landen frisch auf den Büchertisch zu kommen, warum sie sich (wie Max Frisch und Alfred Andersch) in schier uneinnehmbare Bergfestungen in der Schweiz zurückziehen.

Auf jeden Fall jedoch steckt in der Geschichte eine Knigge-Anweisung für Leser: sie mögen, treffen sie einen Romanautor, niemals mit strahlendem Blick auf ihn zueilen, um ihn zu fragen: »Was macht Ihr neuer Roman?« Die Frage ist - um sie mit einem praktischen Beispiel zu illustrieren - nicht weniger taktlos, als wenn man ein Mädchen, das wacker und viele, viele Jahre lang die Ehe aus irgendeinem Grund gemieden hat, fragt: »Wann heiraten Sie denn endlich?«

Schon deshalb wartete die literarische Öffentlichkeit geduldig auf das letzte Frühjahr, wo von Arno Schmidt *Zettels Traum* erschien, für den er sich jahrelang von der Welt zurückgezogen hatte. Seit seinem letzten Roman waren rund zehn Jahre verflossen.

Der Epiker wurde gerne als zweiter Schöpfer der Wirklichkeit apostrophiert. Und so wurde ihm dann, ließ sein Roman allzulange auf sich warten, der Hinweis zuteil, daß doch Gott zur Erschaffung der Erde nur eine knappe Woche benötigt habe. Die Antwort gibt der Witz von einem Schneider, der zu einem Anzug so lange brauchte, daß ihn sein Kunde mit dem gleichen Hinweis anherrschte. Antwort des Schneiders: Aber schaun Sie sich die Welt an! Sie ist ja auch danach.

Brehms neues Dichterleben

1922 schrieb der Schriftsteller Franz Blei sein *Bestiarium der Literatur* - ein Werk, das für das zoologische Wirken der Dichter eine ähnliche Bedeutung hätte erlangen müssen wie Brehms Tierleben für das menschliche Verhalten der Tiere. Das Bestiarium, das von Altenberg bis Stefan Zweig reicht - also, wie man daran sehen kann, alphabetisch wie ein Lexikon eingerichtet wurde -, vermerkt zum Beispiel über Benn: »DER BENN ist ein giftiger Lanzettfisch, den man zumeist in Leichenteilen Ertrunkener festgestellt hat. Fischt man solche Leichen an den Tag, so kriecht gern der Benn aus After und Scham oder in diese hinein.«

141   Das Stichwort über Gerhart Hauptmann fängt so an:

»Das GEHAUPTMANN. Das Gehauptmann ist der umfangreichste Vierfüßler der deutschen Fauna, bei außerordentlich kleinem Kopf, der mit zunehmendem Alter immer kleiner wird, dafür wächst der Leib immer mehr . . .«

Und Hermann Hesse wird zur »lieblichen Waldtaube«.

An den naturkundlichen Beobachtungen der Tiergattung Hauptmann kann der geschätzte Leser übrigens heute noch ablesen, daß der Vorwurf, Dichter würden im Alter milder, was ihnen Junge immer besonders verübeln, auch nicht erst etwas ist, was der Gegenwart eingefallen wäre, die das inzwischen nur zeitgemäßer ausdrückt: Heute altert ein Dichter nicht, nein »er wandert ins Establishment ab« oder »er läuft zum Establishment über«.

Doch blicken wir uns noch einmal die Dichter-Zoologie der zwanziger Jahre an. Der Holz ist da eine Finkenart, die Huch eine Schleiereule, Kafka wird zu einer »sehr selten gesehenen prachtvollen mondblauen Maus«, von Morgenstern heißt es, daß er, »wie man weiß, dasselbe (ist) wie der Abendstern«. Thomas und Heinrich Mann werden beide der »Familie mittelgroßer Holzböcke« zugerechnet. Und von Rilke heißt es so schön:

»DIE RILKE. Um die Zugehörigkeit der Rilke zum Tier- oder Pflanzenreiche streiten miteinander die Zoologen und die Botaniker, indem diese sie nicht haben wollen und der Zoologie, die Zoologen sie nicht haben wollen und der Botanik oder Pflanzenkunde zuweisen; und sagen die Zoologen, es fehle der Rilke das Blut, weshalb sie sie von sich weisen, und sagen hinwieder die Botanisten, sie habe ein tierisches Gebiß, welches sie instand setzt, Versenzeilen jeder Länge immer dort auseinanderzubeißen, wo kein Gelenk sei, weder ein melodisches, noch ein rhythmisches.«

Das erinnert an die Bosheit eines Oscar-Wilde-Bonmots, der von einer Frau sagte, sie habe alles vom Pfau, nur nicht die Schönheit. Es er-

Rainer Maria Rilke

innert auch an jene Charakteristik eines Opernsängers, von dem alle Dirigenten behaupteten, er müsse wohl ein großer Schauspieler sein und alle Regisseure achselzuckend meinten, wahrscheinlich singe er wenigstens sehr gut ...

Wie man sieht, kommen in Bleis *Bestiarium* nicht nur Tiere vor: Johannes R. Becher etwa »ist eine Rakete der neuen Feuerwerkerei« und von dem (jungen) Ernst Bloch hieß es: »Das Sternbild des Hercules, eine bayrische Weißwurst und ein jüdischer Witz haben einen gemeinsamen Schnittpunkt, den man Ernst Bloch nennt.«

Bleis Bestiarium wurde nach dessen Tod 1942 (in der New Yorker Emigration) oft kopiert. Jüngst hat Jens Rehn ein paar moderne Dichter ins Tierleben eingebracht. Bei ihm gehört DER BÖLL zum Beispiel »in die Klasse der Haustiere, die sich von Brot und Boden nähren. Als strammer, unkonvertierter Bock wurde er bislang mehrfach auf Wanderausstellungen prämiiert. Sein Geschlecht ist unverwechselbar männlich. Hörner trägt er allerdings nur gelegentlich und setzt sie auf und ab nach Bedarf. In der Kirche ist der Böll wegen seines sanftmelancholischen Gesanges wohlgelitten, selbst dann, wenn er manchmal leise und deutlich ›Pfui‹ sagt. In eingeweihten Kreisen vermutet man, daß der in alle Welt verstreute *Böll* demnächst in den Stand der Edelböcke erhoben werden wird. Aber auch dann ist nicht anzunehmen, daß der Kirchen-Clown seine Dienstfahrten beenden wird, sondern, mit roten Rosen im Revers, Leviten liest«.

Und DER GRASS »zeigt sich sowohl außerordentlich gern als auch als Standhahn mit mehreren Kämmen, die sich beliebig schwellen lassen, stets öffentlich. Das Tier stammt aus Gegenden, wo die Kartoffeln unheimlich groß sind. Der Hahn lebt angenehm bei flüssiger Nahrung, stellt jedoch auch festen Fraß mit großer Liebe her. Zur Nacht, wenn der *Grass* nicht schläft, gräbt er nach Würmern und pfeift dabei. Hat er sie gefunden, haut er sie ein in Marmelstein oder skizziert sie geschickt. In stiller Stunde betet das Literatier sein Pferdevaterunser und denkt nach über Nonnen, allerdings nur über die hübschen. Hingegen ist es eine Verleumdung phallischer Neider, der *Grass* habe sich als Kraftfutterreklame (Kikiriki: Iß - Pi - Diii!) vermietet, da man ihn allerorten sehe: dem ist nicht so! Vielmehr ist es erfreulich für die deutsche Literatur, einen GG zu besitzen, nachdem wir seit längerem in anderen Künsten an den - bzw. die - BB gewöhnt worden sind. Hierzu hat der Standhahn die Plebejer eigenhändig aufgerufen, nachdem er sie davor örtlich betäubt hatte«.

Wie bei Blei oder Rehn war auch für meine lexikalische Erfassung des blühenden Dichterlebens das Alphabet oberstes Gesetz. Vollständigkeit wurde nicht angestrebt. Wer also einige Tierarten, die sich von Papier nähren, um es beschrieben wieder abzusondern, vermißt, der sollte

Rat an den Leser

den Naturkundler in sich selbst zum Leben erwecken und sich im Sinne Bleis über ihm notwendig erscheinende Dichter hermachen.

Der Andersch. So nennt man eine zurückgezogen lebende Bergziege, die mit Vorliebe italienische Neoverismo-Filme frißt, um sie als unverdaulich wieder abzusondern. *Der Andersch* meckert gern in Fremdwörtern und hat oft eine kursive, Nachdenklichkeit vortäuschende Gangart. Wenn er leere Schaukelstühle betrachtet, wird er wehmütig, weil er sich verflossener Unzucht darinnen erinnert. Was an ihm glas-

145

klar und durchsichtig wirkt, hat nur den Nachteil, daß diese Durchsichtigkeit nichts enthält außer sich selbst.

Der Artmann. Dieses teils wilde, teils possierliche Tier flüchtete einst aus Wiener Vorstadtkellern in die freiere Natur des Nordens, nicht ohne den beißenden Geruch seiner ursprünglichen Hausung mit sich zu nehmen, um sie als exotisches Parfüm über sein neues Publikum immer wieder zu verspritzen.

Der Augstein ist der einzige Schriftsteller, dem es geglückt ist, seiner Autobiografie den Namen Friedrich des Großen zu geben.

Die Bachmann ist ein äußerst poetisches Wesen, welches es fertig gebracht hat, sich sogar die Zeit stunden zu lassen. Die Bachmann ist öfter zu hören als zu sehen. Wird sie zu Auskünften genötigt, kann sie oft wie ein Wecker wirken und stolz verkünden: »Ich will nicht lehren, sondern erwecken.« Auch hat sie etwas hamsterartiges, da sie »härtere Tage« unausweichlich kommen sieht und ankündigt.

Der Bamm ist eine Hohlform, die sich von Zeit zu Zeit mit Bestsellern auffüllt. Wie ein Pfau mit Federn, so protzt *der Bamm* mit hellenischem Bildungsgut und medizinischem Popularwissen. Hierin - und in seiner Neigung ganz arg zu menscheln - ist *der Bamm* mit vielen anderen Hohlformen nahe verwandt.

Im Baumgart wachsen erlesene Blumen neben hartem sozialkritischem Kernobst. Doch behaupten Eingeweihte, daß die Blumen künstlich seien, während das Kernobst betörend zu duften verstünde.

Jürgen der Becker ist ein solcher unseres Bewußtseins-Teiges. Er nährt sich und uns von kleinsten Partikelchen, die er mit spitzen Greifzangen den Gedanken der Zeitgenossen gerade dann zu entreißen pflegt, wenn diese denken, daß sie im Augenblick überhaupt nicht denken. Das aber denken sie ohne *den Becker* und seine Prosa.

Der Bense ist ein Computer, der deshalb nicht an Gott glaubt und der nur dichtet, um in Dünnschliffen zu beweisen, daß man nicht mehr dichten kann. Diesen Beweis führt er zuweilen glänzender als ihm lieb sein dürfte.

Das Bergengruen ist wie das Alpenglühn in den letzten Jahren nicht mehr so beliebt. Früher schmückte es die Zimmer zarter Mädchen, woselbst es direkt neben dem Kreuz ein sanft nazarenisches Strahlen verbreitete, welches man, wegen seines baltischen Ursprungs, gar nicht am *Bergengruen* vermutet hätte.

Der Bichsel ist ein Schweizer Kinderspielzeug, mit dem Erwachsene oft stundenlang spielen, da sie *den Bichsel* für ein getarntes Schachspiel halten. Insofern kann *der Bichsel* als hinterhältig bezeichnet werden.

Der Bingel ist ein in Frankfurt und Wien ständig rotierender Kreisel.

Der Brandner ist der bayrische Fachausdruck für einen Trip. Nach zwei *Brandnern* - diese Maßeinheit wurde von Michael Krüger erfunden - wird man unweigerlich süchtig - und besorgt sich richtigen Haschisch.

Der Brinkmann ist ein zahnloses Beißtier, das sich insofern hinterhältig verhält, da es seine Leser mit vielen sexuellen Spielchen aufzumuntern scheint, die aber unter dem Einfluß der Prosaabsonderungen *des Brinkmanns* in Wahrheit einschläfernd wirken. Ist es so weit, will *der Brinkmann* zubeißen. Da ihm aber die Zähne (siehe oben) weitgehend fehlen, fletscht er dieselben gräßlich.

Das Brod war ein Gerücht über die Kafka.

Das Celan war ein Geschöpf, das sich in den letzten Jahren immer mehr in die unwirtlichen Höhlen und Verstecke seiner Lyrik zurückgezogen hat.

Der Chotjewitz hält sich selbst für den Witz, den er machen will. Irgendwann hat *der Chotjewitz* seine Schreibutensilien verloren, weswegen er danach seinen Körper als sein schriftliches Zeugnis ausgab und auch den Beweis führte, daß er männlichen Geschlechts sei. Diesen Beweis führte er kleinlicher als sein franko-spanischer Kollege Arrabal.

147   *Der Dorst* ist ein Chamäleon, das sich in den letzten Jahren sozialkri-

tisch eingerötet hat. *Der Dorst* nistet auf scheinbar kahlgefressenen Brutstätten anderer Tiere, wo er jedoch zu aller Erstaunen reichlich Nahrung hervorgräbt und diese mit heiterem Genuß verzehrt.

Die Dürrenmatt ist eine Schweizer Landschaft, die von bizarren Bewohnern bevölkert wird. Sie alle haben einen Hang ins Gigantische und wachsen sich in ihren Vorstellungen zu großen Weltübeln aus. *Die Dürrenmatt* erweckt oft den Anschein, als hätten ihre Bewohner künstliche Glieder, womit sie nicht selten recht hat, auch wenn diese Glieder von Brecht bezogen und als Wedekind zum Andersaufwachsen veranlaßt wurden.

Der Eich hat sich erst in jüngster Zeit zum possierlichen Maulwurf ausgewachsen. Früher war er ein viel zarteres Tier, das nicht zu wissen schien, ob es nicht doch lieber ein Zitronenfalter werden sollte.

Die Elsner hört zwar nicht das Gras wachsen, dafür aber fühlt sie Riesenzwerge zwischen ihren Beinen wimmeln, die wirken, als hätte sie Oskar Matzerath ins Leben getrommelt.

Der Enzensberger hat sich in den letzten Jahren mehr und mehr aus der Zoologie weggeschlichen, dabei behauptend, daß auch die anderen Tiere gestorben seien. Heute ist *der Enzensberger* ein *zoon politicon*, was seiner Lyrik, die er zurückhält, nicht unbekömmlich ist.

Die Fichte ist ein norddeutscher Stadtbaum, der verkrüppelt in Waisenhäusern aufwächst und dann als Zierpflanze in Nachtlokale gestellt wird, welche daraufhin polizeilich geschlossen werden: die Fichte denkt daraufhin stolz, daß sie eine obszöne Gestalt habe, jedoch überwiegt das anheimelnde norddeutsche Heimatgrün bei weitem.

Der Fried ist ein seltsam empfindsames Rhinozeros, das im Londoner Zoo lebt. Es fühlt sich unglücklich, wenn es nicht täglich mehrere Gedichte von sich gibt, wobei es nicht wunder nimmt, daß Besucher *das Fried* nicht immer von seiner besten Seite kennen lernen. *Das Fried* nährt sich von Shakespeare, dessen Schlegel es abkaut.

Friedrich Dürrenmatt

Der Frisch ist oft eher resigniert und abgespannt. Er scheint unter Kleidermangel zu leiden, weshalb er oft Geschichten anprobiert wie Kleider, wobei er gerne und erfolgreich mit einem großen Publikum rechnet. *Der Frisch* will oft anders heißen und anderes wählen, aber auch Gantenbein heißt Frisch und wenn Frisch wählt, wählt er dann resignierend doch wieder *den Frisch.* Inzwischen gibt es sogar schon Frischlinge. Einer davon heißt Gert Hofmann.

Der Gaiser ist eine Veranstaltung auf die gute alte Zeit, ein Schlußball, auf dem die Schurken noch schwarzhaarig sind und die Frauen blond und keusch. Verboten ist es auf diesem Ball, von gereimten Jugendsünden zu sprechen.

Der Geißler ist ein Tier mit vier radikallinken Füßen, auf welchen er aber nur sehr schleppend laufen kann, weshalb er sich mit Vorliebe durch Parabellandschaften bewegt, die einen Plastikboden haben und von aufblasbaren Menschen bevölkert sind.

Der Goes ist eine Predigtform aus Süddeutschland, bei der die Augen verklärt zum Himmel zu richten sind. *Der Goes* ist vorwiegend innig.

Das Grass, das ursprünglich in der Danziger Gegend wuchs, ist jetzt eine Berliner Parklandschaft. Der Versuch, auf *dem Grass* rote Blumen wachsen zu lassen, schlug fehl. Es gedeihen nur Knirpse von minimaler Größe. Um die Vögel zu verjagen, werden auf *dem Grass* oft Vogelscheuchen aufgestellt, die manchmal glauben, daß sie Theaterhelden seien. Bei dem Versuch, ein geschändetes Ritterkreuz wieder aufzufinden, wurde *das Grass* beträchtlich zertrampelt. Doch rühren die schwarzen Fransen nicht daher. Sie sind auch nicht *das Grass* selbst, sondern gehören bestenfalls zu dessen Schnurrbart.

Der Grün ist in Wahrheit rot. Obwohl seine Prosa meist Pantoffeln anhat, möchte sie aufrichtig den harten Schritt von Arbeiterbataillonen markieren. Die Absichten des Grün haben eine ganze Gruppe am Leben erhalten, die sich 61 nennt und für die Kumpel das schreibt, was diese leider ganz und gar nicht lesen. Aber *Grün* ist auch die Hoffnung.

Der Hacks ist eine äußerst gezierte, dialektische Porzellanfigur, deren Hirn ihr Blut beträchtlich verdünnt und verfeinert hat. *Der Hacks,* der im Rokoko zu Hause sein könnte, lebt dennoch aus Überzeugung im proletarischen Milieu. Stoßseufzer *des Hacks*: Es ist vollbrecht!

Der Härtling ist eine fett-fleischige Pfirsichfrucht aus Böhmen, die vorgibt, aus Schwaben zu sein. Oder umgekehrt. Der Härtling sondert von Jahr zu Jahr getreulich Prosa ab, welchselbe in ihren eigenen Tiefsinn verliebt ist, obwohl sie eigentlich von Stehgeigern begleitet werden könnte.

Die Hagelstange ist eine Zurüstung für ältere, aber rüstige Gentlemen, die es diesen erlaubt, Damen fremder Nationalität formvollendet die Hand zu küssen.

Der Handke ist der Hans im Glück, der den Wittgenstein des Weisen gefunden hat. Diesen benutzt er zuweilen auch als Fußball, um den Torhütern der deutschen Literatur Angst zu machen. Andere wiederum nennen *des Handkes* Wittgenstein einen Findling, der als Kaspar Hauser das Sprechen verlernte: wenn *der Handke* sein Mündel öffnet, macht er auch stumm viel von sich reden.

Von der Hesse nahm man lange Zeit an, daß sie ein Wilderer namens Deschner posthum noch einmal erlegt hätte. Doch hat sich dieses Waldtier in Übersee zu einem Steppenwolf verwandelt, der jetzt in musikalischen Rudeln auch nach Deutschland wieder eingefallen ist.

Der Hochhuth kommt nicht vor dem Fall, sondern stürzt andere, mit Vorliebe Tote. *Der Hochhuth* ist ein Guerilla, in dessen Safe die historische Wahrheit verschlossen ist. Wenn *der Hochhuth* den Papst oder Churchill anschießt, dann bleiben auch viele dramaturgische Gesetze auf der Strecke. Andere halten *den Hochhuth* für den größten Zettelkasten der deutschen Literatur. *Der Hochhuth* excerpiert sie aus

Geschichtsbüchern und macht sich einen Vers darauf. Einen holperigen. *Der Höllerer* ist eine grammatikalische Steigerung des Dichters Höller. Höller selbst ist, soweit mir bekannt, völlig unbekannt geblieben und hat auch so gut wie nichts publiziert.

Der Heissenbüttel besitzt eine Werkstatt für Sprachersatzteile, die er in vielen Montagevorgängen zu Texten zusammenfügt. In der Sparte der Reptilien ist er also das Textil.

Der Herburger ist eine Allgäuer Käseart, die das Abendbrot auf Kommunardentischen zu bereichern wünschte. Den Heimatgeruch versucht *der Herburger* durch langen Aufenthalt in Großstadtpissoirs zu verlieren.

Der Hildesheimer ist eine leicht moussierende Weißweinsorte, die in früheren Jahrgängen und Hochlagen zur Schlaflosigkeit führte. In Theatern wird dieser Wein seit einigen Jahren kaum noch angeboten, vielleicht weil er zu sehr nach einem rumänischen Beaujolais schmeckte.

Der Jahnn ist ein nachgelassener Turnvater für einen Geheimbund, der mittels Rühmung *des Jahnns* die schwierige Sportdisziplin, *den Jahnn* zu lesen, populär machen möchte.

Der Johnson ist ein Schienenwurm, der mit seiner bedächtigen Kriech-Art oft unbemerkt die Grenze zwischen den beiden Deutschlands überquert, dabei eine zäh-beliebte Prosaspur zurücklassend. Wo *der Johnson* hinschreibt, tauchen oft Mädchen auf, die stets ihr flachsblondes Haar zu einem mecklenburgischen Knoten verschlingen. Dann wird auch *des Johnsons* Sprache einfach, flachsblond und ziemlich verknotet.

Der Jünger hat kaum noch solche, es sei denn im Tierreich, das er mit seiner Käfersammlung schon deshalb häufig durchwandert, weil Käfer sich ihrer Beschreibung gegenüber äußerst langmütig verhalten.

Der Kästner ist insofern eine biologische Rarität, als er das Herz auf Taille trug, woselbst es sich etwas aparter reimte als auf Schmerz. In-

Erich Kästner

zwischen jedoch läßt sich entdecken, daß der Kästner es doch am rechten Fleck trug.

Die Krolow ist eine Botanisiertrommel, in der vorwiegend die Blumen getrocknet aufbewahrt liegen, die einst Lehmann und Loerke pflückten.

Der Lange hat vor, die sieben Arbeiten des Herkules im deutschen Theater zu verrichten. Wenn er es allerdings unternimmt, Kleistsche Gräfinnen proletarisch schwängern zu wollen, glücken ihm nur Scheinschwangerschaften. Es mag sein, daß die Marquise von O., als *der Lange* nahte, dennoch in Ohnmacht fiel. Aber die Keule des Herkules, die aussah, als habe *der Lange* sie beim Berliner Ensemble in Auftrag gegeben, war von Hacks beträchtlich schmaler gedrechselt worden. *Der Lange* wollte sie trotzdem gegen den Personenkult schwingen.

Den Lenz halten viele für ein Synonym des Frühlings, während er mit strahlend blauen Augen Deutschstunden über das Land verteilt. Im Theater verbirgt er jedoch diese Augen in letzter Zeit leider durch eine Augenbinde. Dennoch ist der *Lenz* die Lieblingsjahreszeit der Buchhändler.

Der Lernet-Holenia ist kein Imperativ, sondern lebt in der Wiener Hofburg.

Der Lettau fällt des Nachts auf Wiesen und Städte, woraus sich nicht nur Schwierigkeiten beim Häuserbau ergeben, sondern auch die Menschen zu Strichmännchen zusammenschrumpfen. Manche halten *den Lettau* daher auch für drogenhaltig und wittern politische Konsequenzen. In Berlin fungierte *der Lettau* unter »diesen Typen«, weshalb er zur Zeit nur Kalifornien befällt.

Der Lind wurde gern mit *dem Grass* verwechselt, bis er, um sich zu unterscheiden, Unverständlichkeit simulierte.

Der Michelsen ist eine norddeutsche Verkleinerung des irischen Bekkett. Wie dieser liebt der Michelsen einen düsteren Himmel. Seine Titelhelden pflegt er gar nicht erst auftreten zu lassen, was diese, angesichts dessen, was bei Michelsen Auftretende zu leiden und zu leisten haben, sicher dankbar empfinden.

Der Mon ist die Lieblingsnahrung *des Heißenbüttel.*

Der Nebel hat sich weitgehend verflogen. Im übrigen siehe Jünger.

Der Neumann ist kein Tier, sondern der Großvater der deutschen Literatur. Mit den Söhnen im Streit liegend, hätschelt er gerne seine Enkel sowie *das Zwerenz.* Beide sondern beim Anblick des anderen automatisch Komplimente und Artigkeiten ab. *Des Neumanns* parodistischer Magen besitzt die Qualität, Unverdauliches genießbar zu machen. Von seinen Tagebüchern würde *das Zwerenz* nicht das Gegenteil behaupten.

Die Novak ist ein isländischer Thunfisch, der seine Prosalaichstätten an den FrankfurtamMain verlegt hat. Daselbst sinnt sie auf ein Patent, ihre Sätze noch mehr zu verkürzen. Da dem Wasser entstammend, haßt sie Überflüssiges und sucht Verlagsorte, die Fünfseitenbücher herausbringen.

Die Rasp schreibt ihre Texte abwechselnd mit der linken und der rechten Brustspitze. So zeigt sie beim Lesen gerne ihre Schreibutensilien vor, obwohl - nach altmodischen Gesichtspunkten - das ihre Gedichte und ihre Prosa gar nicht nötig hätten.

Zum *Richter* befinden sich andere Tiere oft auf dem Hasensprung, woselbst sie vor Rundfunkmikrophone gehalten und für das Fernsehen aufgenommen werden. *Der Richter* betrieb auch ein Tierasyl, wo den Tieren das Sprechen beigebracht werden sollte. In diesem Asyl galt der Toleranzgrundsatz des Deutschunterrichts, der da lautet: »Lesen und lesen lassen!«

Die Rinser war eine Forelle am Ammersee, die gerne in Weihgewässern herumschwamm und darauf wartete, von Orff, wie einst ihre Vorfahrin von Schubert, vertont zu werden. Da in ihren Redeflüssen selbst kommunistische Partisaninnen zu Benediktiner-Nonnen werden, ist *die Rinser* inzwischen nach Rom gezogen.

Der Roth (Eugen) ist das Tier, das die gesamte Fauna in Menschenkunde unterrichten wollte: da dies gereimt geschah, herrschen bei den Tieren oft ziemlich ungereimte Vorstellungen von den Menschen.

Der Rühm hat seinen eigenen neben den Rühmen der Wiener Gruppe, die so genannt wird, weil ihr auch Oswald Wiener angehört und nicht etwa, weil sie in Wien lebt. Sie handelt nach der Devise, daß Wien Graz bleibt und hat sich deshalb nach Berlin verlagert.

Einen *Salomon* nennt man in Deutschland einen allzu ausführlich ausgefüllten Fragebogen. Wohl nach dem Erfinder.

Der Arnoschmidt ist ein Einsiedlerkrebs, dessen Rückwärtsgänge von vielen bewundernden Betrachtern als enorme Fortschritte empfunden werden. *Der Arnoschmidt* frißt nur verkannte Dichter, die er mit seinen geduldigen Zangenwerkzeugen erläuternd auseinandernimmt.

Der Schnabel kann seinen oft nicht halten, weshalb er von der Polizei nicht allzu freundlich behandelt wird. Sein Versuch, zusammen mit Henze das Floß der Medusa zu besteigen, scheiterte daran, daß ein Teil der angeheuerten Besatzung die Vorliebe der beiden Kapitäne für ein rotes Segel nicht teilte, vielmehr darauf allergisch reagierte. Den Wind allerdings machte die Polizei.

Einen *Schnack* kann man in deutscher Zunge gleich auf zwei Arten tun. Mit Friedrich führt man den sogenannten »Bienen-Schnack«, während Anton lieber von Schneeflocken schnackt. Über Geschnack läßt sich bekanntlich streiten. Und der Schnick-Schnack ist mit den beiden weder verwandt noch verschwägert.

Die Schnurre ist ein Insekt, das den Berlinern gerne aufs Maul schaut. Ist es ein Zufall, daß in einer Kritik im Zusammenhang mit *der Schnurre,* von deren »schnurrigem Humor« die Rede ist? *Die Schnurre* liebt Pudel und Rohrdommeln, ahmt diese auch täuschend nach.

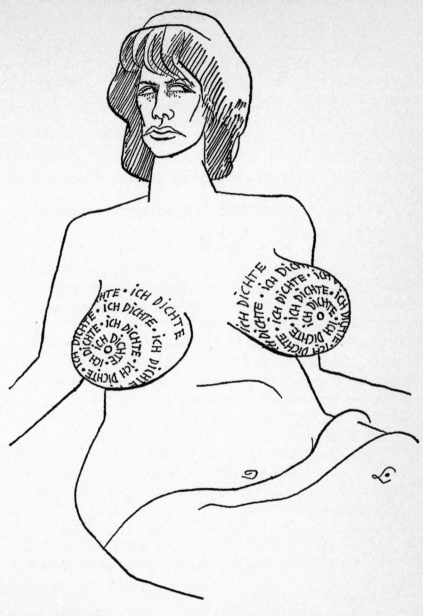

Renate Rasp

Der Seuren ist ein Gerücht des Kiepenheuer & Witsch-Verlags in Köln. Durch Fernsehverfilmungen sollte diesem Gerücht eine glaubwürdige Existenz verschafft werden.

Der Sperr ist ein Grobspecht aus Niederbayern, der das eigene Nest beschmutzt, am eigenen Holze klopft, daß die Späne fliegen. In seiner Heimat wird er nicht mehr für naturschutzwürdig erachtet.

Der Strittmatter ist ein sozialistischer Vetter der Ganghofer, der im Heimatroman Bodenreform macht, ohne dessen Besitz an Schnulzigkeit anzutasten.

Torberg war lange Zeit das wirksamste Brechtbekämpfungsmittel, das die Stadt Wien gegen diese aus Deutschland drohende Seuche anzuwenden wußte.

Das Waggerl ist ein älplerisches Fahrzeug, auf dem vorzüglich Besinnlichkeit zur Düngung über das Seelenland gefahren wird. Trotz weitverbreiteter Gerüchte wird *das Waggerl* nicht von einem Musenroß gezogen, sondern von vielen Eseln.

Der Walser ist ein Heimleiter am Bodensee, dessen zumeist weiblichen Pfleg- und Zöglingen die Kritik nicht selten Zucht- und Haltlosigkeit vorwirft. *Der Walser* beschäftigt sich mit einem seltsamen Tier, dem der Penis auf der Stirn wächst, welcher daher sehr gesprächig und sehr intellektuell ausgefallen ist.

Der Weiss ist ein rotbeiniger Storch, dessen Schritte nach eigenen Aussagen solche zum Sozialismus sind. Die Kinder, die *der Weiss* bringt, stammen aus einer Verbindung des Marquis de Sade mit dem Marx. Deshalb sind sie in letzter Zeit oft auffallend blaß und zeigen trotzkistische Abweichungen.

Der Wellershoff ist ein Erfinder, der unter anderem wahrscheinlich den Seuren erfunden hat. Vom Sich-selbst-erfinden ist er mehr und mehr abgekommen - eine Tatsache, der wir kluge, literaturkritische Essays verdanken.

158

Gerhard Zwerenz

Der Wiener ist ein unverbesserlicher Weltverbesserer, weshalb er für Verbesserung Mitteleuropas plädiert. So ließ er sein Buch auf verbesserungswürdigem Papier drucken und schlug vor, die von ihm verlassene österreichische Heimat mitsamt ihren Bewohnern in ein Museum zu verwandeln. Fraglich ist, ob ihm das Kreisler-Lied »Wie schön wäre Wien ohne Wiener« gilt.

Der Weyrauch war ein Waldschädling, der zu einem weite Landstriche befallenden Kahlschlag führte.

Der Wittlinger ist ein Astronom, dem es gelang die Milchstraße erfolgreich zu melken, weil er in ihr das lange verloren geglaubte Theatergemüt entdeckte.

Die Wohmann nistet sich mit Vorliebe ins Familienleben ein, um dessen Banalität zu Unglück zu zernagen. Von *der Wohmann* befallen, zerbricht der scheinbar festeste Familienfrieden alsbald. *Die Wohmann* tut so, als merke sie das gar nicht.

Die Wolken sind nach Süden gezogen, wo sie die Villa Massimo verhängen, jedoch über Deutschland keine Prosa mehr herabregnen.

Der Wondratschek ist ein Friseur, der nach dem Grundsatz, daß ein Feuilleton schreiben heiße, auf einer Glatze Locken drehen, handelt. Aber er hält diese Tätigkeit dennoch für Klassenkampf.

Der Zwerenz ist der letzte im Alphabet, weshalb er gerne mit Genitalien protzt, die nicht ihm gehören, sondern Herrn Casanova. Um deren Enteignung und deren Sozialisierung anzuzeigen, hat *der Zwerenz* an diesem Mast, der sich rastlos tätig durch seine Bücher bewegt, eine rote Fahne gehißt. So ist jetzt diese jenem hinderlich und umgekehrt.

Zu guter Letzt: Goethe als solcher

Was die Dichter problematischer macht als das, was sie selbst schreiben, ist das, was über sie geschrieben wird. Obwohl dafür der harmlose Ausdruck Sekundärliteratur existiert, überziehen die Auslassungen über die Dichter deren Leben und Werk wie Schwären. Goethe und die Frauen, das geht ja noch. Schwerer wiegt schon: Die Zunahme des Wortes »still« in der Alterslyrik des Nepomuk Faustel. Oder: Wedekind und die handwerkliche Entwicklung der Münchner Bühnenbildwerkstätten vor dem ersten Weltkriege. Mit dem Ruhm und Nachruhm kommen auch die Interpreten. Der Dichter verwest nicht wie jeder anständige, normale Sterbliche, respektive: Gestorbene - er zerfällt in zahllose Gesichtspunkte und Aspekte. Er wird tranchiert und in neue

Zusammenhänge gebracht, er wird beleuchtet, erscheint folgerichtig in einem veränderten Licht, seine Aussagen werden an neuen Gegebenheiten überprüft, er wird zum Vorläufer von Sachen, die zu seinen Lebzeiten noch gar nicht gelaufen waren. So macht man ihn zum ewigen Mitläufer. Tote Dichter führen ein seltsames, von ihnen ganz und gar unabhängiges Eigenleben. Sie wesen durch die geistigen Räume. Ihre wertvollste Hinterlassenschaft wird das Zitat, auch geflügeltes Wort genannt. Es degradiert die Dichter zur Musikbox, die bei Groscheneinwurf die Hits der Spruchweisheiten von sich gibt: Brecht sagt dann brav auf, daß erst das Fressen, dann die Moral kommt, Goethe verscheidet immer mal wieder, mehr Licht auf den Lippen, Heine weiß noch immer nicht, was es bedeuten soll, während aus Schillers »Lied von der Glocke« die Weiber als Hyänen herausfallen.

Viele Dichter haben nur gelebt, so scheint es, um im Büchmann tausendfache Tode zu sterben.

Eine weitere Bedrohung der Dichter sind die Jubiläen, jene runden, halbwegs glatten Dezimalzahlveranstaltungen, die den Kalender danach durchforsten, wer denn jetzt wieder fünfzig, hundert oder hundertfünfzig Jahre seine Ruhe hatte.

Nun beginnt auch die Philatelie Interesse an der Literatur zu nehmen, hält nach Fehldrucken Ausschau, nach einem Schiller, dem die Bundespost aus Versehen einen Backenbart angedruckt oder eine Eroica untergejubelt hat. Das Geburtshaus wird renoviert, auf einem Speicher entdeckt jemand Briefe an eine Cousine, die den Dichter in einen völlig neuen Zusammenhang zu stellen drohen, äußert er sich doch in diesen Briefen zum ersten Mal über ein Gallenleiden, das die Germanistik bisher erst ein halbes Jahr später, in dem Gedichtband »Gallensteine« sich ankündigen sah.

Die Kurverwaltung von Bad Schwarzbach, wo der Jubilierte einst, da das Wagenrad der Postkutsche brach, zwei Stunden Aufenthalt nahm,

Johann Wolfgang von Goethe

bringt eine Broschüre von Stadtdirektor a. D. Hämmerlein heraus, in der ein durch zwei Zeugen verbürgter Ausruf »lieblich« festgehalten ist, den der Dichter ausgestoßen haben soll, als ihm der Schultheiß seine Schwester sowie die Thermalquelle zur Besichtigung freigab. Da ein Medaillon das Bild der Schwester aus jenem Jahr festhält, weist Hämmerlein messerscharf nach, daß sich der Ausruf »lieblich« nur auf die Quelle bezogen haben konnte. In einer Privatklage verlangen die Nachfahren der so geschmähten Schwester eine Richtigstellung ...

Dichter haben es nach dem Tode nicht leichter.

Die jedoch, die leben, als solche leben und noch nicht in Beziehung gebracht zu einem Solbad, noch nicht Vorläufer und Wegbereiter, noch nicht Jubiläumsvorwand und Schulpensum, noch nicht Büchmann-gepreßt und Dissertations-geschändet, sind Menschen wie du und ich. »Kein Sinn für körperliche Schönheit. Seine Liebe mit Vischerin, einem wie an Geist so an Gestalt gänzlich verwahrlosten Weibe, einer wahren Mumie.« So sieht das aus, wenn noch keine Gipsbüste in der Aula steht, so jedenfalls notierte es J. W. Petersen über den Stuttgarter Regimentsmedicus Schiller.

Und der Olympier? Wie war sein Eindruck auf die Zeitgenossen? So wie Eckermann ihn gläubig bewundernd beschrieben hat? 1794, im November, besuchte Hölderlin seinen Gönner Schiller in Jena. Dort trifft er auf einen »Fremden«, den er, »einzig mit Schillern beschäftigt«, ignoriert. Am Abend muß Schiller ihn trösten, daß er keinen anderen als Goethe ignoriert hat. Einen Monat später, als er Goethe »vergeblich« aufsucht, weiß er schon, wen er vor sich hat: »Man glaubt oft einen recht herzensguten Vater vor sich zu haben.« Und daß Goethe auf Selbststilisierung bedacht war, geht auch aus Hölderlins Zeugnis hervor: »Ruhig« sei Goethe, er hätte »viel Majestät im Blicke«.

1774 schickte Eschenburg an Lessing den eben erschienenen »Göthischen Roman« Werther - also Goethes größten Erfolg zu Lebzeiten.

Lessing findet, daß ein solch »warmes Produkt«, sollte »es nicht mehr Unheil als Gutes stiften«, am Schluß ein paar kalte Worte gebraucht hätte und erteilt den Rat: »Also, lieber Göthe, noch ein Kapitelchen zum Schlusse; und je zynischer je besser!«

Heinrich Heine, der uns überliefert hat, wie ihm Grabbe die silbernen Löffelchen zeigte, die ihm die Mutter vor der Reise nach Berlin mitgegeben hatte, und die er nun nach und nach für Branntwein flüssig machte, Heine, der uns schildert, wie Hegel sich ängstlich umguckte, als er ihm erklärte, daß die Sterne keinen überirdischen Himmel annoncieren, sondern nur Lichter seien, Heine hat in der Charakteristik des alten Goethe auch festgehalten, wie die »Verdichterung« schon zu Lebzeiten beginnt, dort, wo Goethe als solcher aufhört und der Dichterfürst beginnt:

»Woher aber kommt diese Härte gegen Goethe, wie sie uns hie und da sogar bei den ausgezeichnetesten Geistern bemerkbar worden? Vielleicht eben weil Goethe, der nichts als Primus inter pares sein sollte, in der Republik der Geister zur Tyrannis gelangt ist . . .«

Und weiter: »Der Alte! wie zahm und milde ist er geworden! Wie sehr hat er sich gebessert! würde ein Nicolaite sagen, der ihn noch in jenen wilden Jahren kannte, wo er den schwülen ›Werther‹ und den ›Goetz mit der eisernen Hand‹ schrieb! Wie hübsch manierlich ist er geworden, wie ist ihm alle Rohheit jetzt fatal, wie unangenehm berührt es ihn, wenn er an die frühere ˈxeniale, himmelstürmende Zeit erinnert wird oder wenn er gar andere, in seine alten Fußstapfen tretend, mit demselben Übermute ihre Titatenflegeljahre austoben! Sehr treffend hat in dieser Hinsicht ein geistreicher Ausländer unseren Goethe mit einem alten Räuberhauptmanne verglichen, der sich vom Handwerk zurückgezogen hat, unter den Honoratioren eines Provinzstädtchens ein ehrsam bürgerliches Leben führt, bis aufs kleinlichste alle Philistertugenden zu erfüllen strebt und in die peinlichste Verlegenheit gerät, wenn zufällig irgendein wüster Waldgesell aus Kalabrien mit ihm zusammentrifft und alte Kameradschaft nachsuchen möchte.«

Auch als solcher, wie Heine ihn hier porträtiert, ist Goethe eine Schlüsselfigur für Deutschlands Dichter.

Inhalt

Einband Jan Buchholz und Reni Hinsch
unter Verwendung einer Zeichnung
von Ernst Maria Lang
Gesetzt aus der Korpus Times-Antiqua
Gesamtherstellung
Kleins Druck- und Verlagsanstalt, Lengerich

9. Frera7, Mr ghr... <u>8</u>

bl : 18, 31 <+ Niet
sthe) 32, 34 – 38
62, 78-80, 82, 8
87, 88, 98†, 104,
110, 114, 116, 122,
148, 151, 158,